Luto é outra palavra para falar de amor

CIP-BRASIL. CATALOGAÇÃO NA PUBLICAÇÃO
SINDICATO NACIONAL DOS EDITORES DE LIVROS, RJ

L994L

Luz, Rodrigo
  Luto é outra palavra para falar de amor : cinco formas de honrar a vida de quem vai e de quem fica após uma perda / Rodrigo Luz. - 1. ed. - São Paulo : Ágora, 2021.

  ISBN 978-85-7183-285-5

  1. Luto - Aspectos psicológicos. 2. Sofrimento. 3. Perda (Psicologia). 4. Comportamento de apego. 5. Amor. I. Título.

21-71262
CDD: 155.937
CDU: 159.942:393.7

Leandra Felix da Cruz Candido - Bibliotecária - CRB-7/6135

www.editoraagora.com.br

Compre em lugar de fotocopiar.
Cada real que você dá por um livro recompensa seus autores
e os convida a produzir mais sobre o tema;
incentiva seus editores a encomendar, traduzir e publicar
outras obras sobre o assunto;
e paga aos livreiros por estocar e levar até você livros
para a sua informação e o seu entretenimento.
Cada real que você dá pela fotocópia não autorizada de um livro
financia o crime
e ajuda a matar a produção intelectual de seu país.

Luto é outra palavra para falar de amor

Cinco formas de honrar a vida de quem vai e de quem fica após uma perda

Rodrigo Luz

LUTO É OUTRA PALAVRA PARA FALAR DE AMOR
*Cinco formas de honrar a vida de quem vai
e de quem fica após uma perda*
Copyright © 2021 by Rodrigo Luz
Direitos desta edição reservados por Summus Editorial

Editora executiva: **Soraia Bini Cury**
Editor assistente: **Celso de Campos Jr.**
Capa: **Studio DelRey**
Diagramação: **Crayon Editorial**

3ª reimpressão, 2023

Editora Ágora
Departamento editorial
Rua Itapicuru, 613 – 7º andar
05006-000 – São Paulo – SP
Fone: (11) 3872-3322
http://www.editoraagora.com.br
e-mail: agora@editoraagora.com.br

Atendimento ao consumidor
Summus Editorial
Fone: (11) 3865-9890

Vendas por atacado
Fone: (11) 3873-8638
e-mail: vendas@summus.com.br

Impresso no Brasil

Dedico este livro a cinco mulheres:

*A Elisabeth Kübler-Ross, que me iniciou
nos caminhos da vida e da morte.
A Daniela Freitas Bastos, cuja amizade
me levou a confiar em mim.
A Wendy Pineda, que me aceitou como irmão.
A Joanne Cacciatore, minha mestra.
A Bianca Teixeira, meu porto seguro de amor.*

Numa condição de profunda desolação, quando um homem não pode mais se expressar em ação positiva, quando sua única realização pode consistir em suportar seus sofrimentos da maneira correta – de uma maneira honrada –, em tal condição o homem pode, através da contemplação amorosa da imagem que ele traz de sua bem-amada, encontrar a plenitude. Pela primeira vez em minha vida, eu era capaz de compreender as palavras: "Os anjos estão imersos na perpétua contemplação de uma glória infinita".

Viktor Frankl, *Em busca de sentido: um psicólogo no campo de concentração*

Sumário

Prefácio – Gabriela Casellato 11
Prólogo 15
Introdução 19

1. A natureza do amor dá a cor do luto 25
2. O que faço agora com todo este amor que sinto? 37
3. Primeira honra: honro a sua vida sobrevivendo à sua morte . . 53
4. Segunda honra: honro a sua memória abrindo-me
   para todos os sentimentos do mundo 59
5. Terceira honra: honro o seu amor respeitando o
   meu tempo e o meu jeito de reaprender a viver 67
6. Quarta honra: honro a sua marca no mundo
   celebrando a vida que tivemos juntos 73
7. Quinta honra: honro o seu legado encontrando
   lugar para você numa nova vida 79
8. As faces do luto expostas pela Covid-19 83
9. Aprendendo com meus erros – Anotações
   para os terapeutas do luto 91
10. A recusa ao fechamento 105

Posfácio 107

Prefácio

Se você está de luto, seu mundo deve estar do avesso, e essa é uma sensação genuína. Sabe por quê?

Ao longo da vida, precisamos nos vincular, amar e pertencer a um grupo ou comunidade, independentemente de raça, cultura, condição socioeconômica, gênero ou idade. Essa necessidade nasce da busca de uma profunda sensação de segurança que é imprescindível para nossa sobrevivência e para o enfrentamento da vida, sensação essa que só os vínculos podem nos proporcionar.

É por essa razão que a dor de perder uma pessoa querida é um dos maiores sofrimentos que o ser humano pode experimentar. Luto não é somente sentir-se triste pela falta da pessoa amada; provoca uma forte sensação de ameaça e desamparo, medo, raiva e muito mais. Isso porque nosso instinto é manter e garantir a ligação afetiva que nos ajuda a viver. E, quando a morte nos rouba algo desse quilate, rouba um pedaço de nós mesmos e do mundo que construímos para nos defendermos da ansiedade e da angústia que a solidão evoca. Por isso, corpo e mente protestam vigorosamente no início do processo. Trata-se de uma luta física e psicológica para não desistir de um amor. Portanto, o luto é uma reação normal, esperada e necessária diante de uma perda significativa.

Onde há vínculo, o luto diante de sua ruptura se fará necessário e deve ser acolhido, seja lá qual for o cenário em que ele se manifeste.

O mundo está mudando de forma rápida, complexa e significativa. O modo de nos relacionarmos, também. Por extensão, a forma de lidar com o luto vem se transformando ao longo da história, o que nos obriga a estudar e observar como tal fenômeno se manifesta e é acolhido em diferentes contextos socioculturais. É por esse motivo que os profissionais da área da saúde mental especializados no suporte psicológico aos enlutados consideram que essas pessoas são seus mestres mais importantes. Todo conhecimento teórico ganha ainda mais sustentação quando surge do empirismo. Assim, não são os enlutados que se encaixam nas teorias; ao contrário, estas são desenhadas com base na observação científica da experiência real daqueles que sofrem a perda de um amor.

Porém, se a morte é parte da vida e o luto é uma experiência esperada diante dela, você deve estar se perguntando: por que existem profissionais de saúde mental especializados no suporte aos enlutados? Isso se faz necessário em decorrência de dois desafios. Em primeiro lugar, são inúmeras as condições que podem dificultar o enfrentamento do luto por determinadas pessoas, que estarão mais sujeitas ao adoecimento físico e mental em decorrência da experiência de perder e enlutar-se. Em segundo, vivemos num contexto sociocultural que tende a banalizar e não legitimar uma série de lutos, o que leva milhares de enlutados a vivenciar essa dor de forma isolada e assolados por sentimentos de vergonha e inadequação, o que também pode levar ao adoecimento. Dessa forma, a intervenção profissional especializada foi desenvolvida para prevenir tais situações, acolhê-las e tratá-las quando isso se faz necessário.

São muitas as condições que podem ser negligenciadas socialmente: o luto de crianças, idosos e pessoas com dificuldades intelectuais ou adoecimento psíquico, por serem percebidos como menos capazes de reconhecer a realidade da perda. Lutos por vínculos não valorizados socialmente, como pares românticos homoafetivos, profissionais cuidadores e seus pacientes etc. Há também reações que diferentes culturas – inclusive a nossa – tendem a censurar, como quando uma mãe não expressa sua dor publicamente e logo é julgada por isso. O tempo é outro fator que pode nos levar a negligenciar a dor do luto. Existe um tempo certo para que o enlutado expresse sua dor e se mostre afetado por ela? Com frequência, o tempo da sociedade não reflete o do enlutado. Além disso, numa sociedade ocidental e capitalista, a tristeza tende a ser encurralada em contextos íntimos e isolados – e, nesse sentido, chorar somente embaixo do chuveiro ou ir em busca de escuta profissional são as poucas alternativas de muitos enlutados.

Por todas essas razões, falar sobre luto é necessário e urgente. Naturalizar essa conversa é a melhor forma de prevenção – não da dor da perda, pois esta é inerente e necessária ao nosso ajustamento à vida que segue. Prevenir implica promover espaços sociais para os enlutados, dar voz a eles e acolhê-los com sinceridade e de forma genuína.

É sustentado nesse propósito que nasce *Luto é outra palavra para falar de amor*, escrito pelo querido Rodrigo Luz, que, de maneira extremamente sensível, deu voz ao luto contemporâneo. Elisabeth Kübler-Ross nos ensinou que "as pessoas bonitas não surgem por acaso"; livros sobre a vida, a morte e o luto também não.

Do prólogo ao último capítulo, o texto fluente me deu a certeza de que Rodrigo queria e precisava escrevê-lo. Senti a obra como um processo de drenagem de toda a reflexão pessoal e técnica no acolhimento ao luto das pessoas cuidadas por ele. Foram tantas as lições aprendidas na rotina profissional que ficou impossível para ele guardá-las consigo. Era necessário dividir, e os leitores foram agraciados com esse processo catártico.

Nós, clínicos, somos presenteados todos os dias com a narrativa de pessoas que, corajosamente, buscam ajuda para lidar com um sofrimento existencial. Estar ao lado delas nessa empreitada é mais do que um ofício: é uma dádiva. A cada sessão com meus pacientes, sinto que cresço como pessoa e como profissional, e me permito ressignificar com certa frequência propósitos, escolhas e caminhos percorridos. Cuidar compreende um ofício que nos sujeita ao espelhamento de nossas vulnerabilidades. Embora represente um desafio, também é uma grande oportunidade. Rodrigo nos ensina isso em seu relato pessoal.

Vale considerar que o luto nos conecta com o nosso mundo interior, com o nosso passado e com o nosso presente, com as pessoas que perdemos, com aquelas que passam por experiências semelhantes, com as que cuidam da nossa dor, com aquelas a quem amamos, com as que aprendemos a amar no processo de enfrentamento das perdas. É a biologia do luto: porque ele nos ameaça, buscamos conexão e aí sobrevivemos.

Este livro fala de como o luto nos conecta. Portanto, é sobre amor. Sim, luto consiste em uma experiência biológica, social, cognitiva, psicológica e espiritual por ser um desdobramento da experiência do amor. É porque amamos que nos enlutamos ao perder e continuamos amando apesar da ausência física. Sim, o luto é uma forma de honrar o amor, o amado e a história que os une.

Nesta obra, você vai aprender cinco valiosas formas de honrar o seu amor e o seu luto. Rodrigo as ensina por meio de lindas histórias de amor e perda de seus clientes, entremeadas de conceitos teóricos explicados com simplicidade e objetividade e permeadas por suas intervenções sensíveis e adequadas.

Compassivo com o momento atual de uma sociedade imersa numa crise pandêmica, o autor ainda dedica um capítulo a dois tipos de coração partido; em primeiro lugar, aborda aqueles abalados pelo medo de um mundo presumido rompido bruscamente por uma ameaça invisível, pelo isolamento físico sem precedentes e pela incerteza de um futuro desconhecido. Em seguida, dirige-se aos corações partidos pelo luto num contexto perverso em que a ausência de espaço e rituais exige ainda mais esforço para honrar o amor e o luto vivenciados.

Rodrigo convida o leitor enlutado a utilizar este livro como um cobertor para os tempos difíceis. Tenho certeza de que o será – e de que ficaremos gratos por isso.

GABRIELA CASELLATO
Psicóloga clínica e sócia-fundadora
do Quatro Estações Instituto de Psicologia

Prólogo

Todas as perdas, todas as dores, todos os desafios que enfrentei na vida cumpriram o propósito de me trazer até aqui. Meu coração é inexoravelmente partido, e quero antes de tudo apresentá-lo a você. Meu coração é tudo o que tenho, e foi por meio da dor que descobri uma fonte de amor ilimitado, uma fonte de compaixão infinita. Desejo que você descubra que a cura da dor está na própria dor, como afirma o poeta místico persa Rumi (século 13). Desejo que você sinta na própria carne que toda a sua dor não será em vão se você se permitir senti-la e abrir espaço para honrar todo o amor que ela encarna. A dor do luto é a encarnação de um amor que não precisa ir embora. Ele não será civilizado com você, mas quem disse que o amor é civilizado?

Minha história com a perda e o luto começou cedo, muito cedo.

Durante os primeiros anos de vida, acreditei que merecia o amor.

Fui criado por um casal que se amou até o dia em que resolveram se divorciar. Essa perda dividiu minha vida em duas. Tinha quase 8 anos à época. Meu avô materno, Olegário, teve um problema de saúde muito grave, o que colocou sua vida em grande risco. Lembro que a única pessoa que chorava e urrava era minha tia-avó Marília. Ela protestava de joelhos, gritando, bradando, pedindo a Deus um milagre pela vida de meu avô, milagre que nunca veio. Ele morreu logo depois disso, e em seguida morreu meu avô paterno. Lembro que a família chorava e sofria em silêncio e que eu estava perdido e assustado com tantas perdas.

Mudei-me com minha mãe para longe de meu pai, e aquela talvez tenha sido uma das experiências mais avassaladoras de toda a minha vida. Senti que estava sendo literalmente rasgado ao meio, incerto sobre meu papel naquela família, sem saber nem se teria família dali para a frente. Foram diversas perdas que se abateram sobre todos nós num período muito curto. Antes do divórcio, no fundo, eu sentia que meus pais eram meu lar. Quando eles se separaram logo depois de tantas mortes, eu me senti sem lar, e foi assim por anos. Durante muito tempo me senti profundamente incompleto. Minha mãe tinha comigo um estilo de relacionamento bastante inseguro, bem diferente da vinculação segura que eu tinha com meu pai. Além disso, tudo havia se modificado muito depressa na vida deles.

A dor da vida que perdi foi minha primeira dor inconsolável.

Mas meu maior trauma ainda estava por vir. Saí do interior para viver na cidade grande, passando a estudar em um colégio regido por normas militares. Fui claramente rejeitado pela maioria dos meninos de minha série. *Bullying*, rejeição social, falta do apoio de amigos, tudo isso compôs o pano de fundo de minha adolescência e minha entrada na vida adulta. Todos sabemos a importância da adolescência para o treinamento da vida adulta, para o aprendizado do amor. Comigo tudo isso veio tarde demais.

A dor da rejeição foi minha segunda perda inconsolável.

Aos poucos, tornei-me um adolescente que acreditava que não era feito para o amor, que havia em mim uma marca da qual nunca conseguiria me livrar. Achei que havia perdido a segurança que senti um dia. Era profundamente inseguro para o amor e, ao mesmo tempo, sensível demais para lidar com as zombarias dos outros meninos da mesma idade. Lembro que meu pai contava que, quando nasci, o médico disse que eu possivelmente seria um jovem bem alto. No meio da adolescência, eu me vi longe de ser isso. Era baixinho, inseguro, ligeiramente depressivo, tinha pouquíssimos amigos e não acreditava que merecia o amor. Não lembro o número de vezes em que, sozinho, fiquei enfiado no banheiro na escola, torcendo para ninguém notar minha falta. Comecei a ter comportamentos excêntricos.

─────(*Luto é outra palavra para falar de amor*)─────

Minha dor era tanta que não cabia na normalidade. Fui claramente um jovem deprimido e desajustado, cercado de pouco apoio e compreensão.

A experiência de tantas perdas e da rejeição fez que eu me sentisse profundamente estressado e desorganizado por anos, e durante um longo tempo esses efeitos se refletiram grandemente em meu modo de me relacionar comigo e com os outros. Foi apenas quando escolhi trabalhar com a morte que passei a compreender meu verdadeiro valor, adquirindo uma visão mais positiva de mim e de minhas capacidades. Afinal, sabia o que era estar morto ainda que estivesse respirando. Havia me tornado uma antena capaz de captar nas nuances mais delicadas a dor aterradora de se perder na própria dor. De certa maneira, era essa a história de minha vida.

Alguns relacionamentos que vivi me ajudaram a mudar tudo. Lembro-me da primeira mulher que beijei nos lábios. Ela me olhava e via beleza em mim. Lembro-me dos primeiros amigos que fiz na idade adulta. Eles olhavam para mim e viam uma pessoa divertida, feliz. Antes, isso não era comum. E, à medida que os outros viam, comecei também a ver em mim essa felicidade que, havia muito tempo, tinha sumido de meu sorriso. Fui recuperando o jeito de sorrir. Pela primeira vez na vida, era uma pessoa interessante. Aos poucos, fui descobrindo que podia ser feliz e confiando no poder dessa descoberta. Despertei para a vida quando vi que meu propósito nela era ajudar as pessoas a sair, transformadas, dos piores momentos da vida. Eu conhecia o caminho.

Foi com uma perda pessoal e a ajuda de um livro sobre a morte que descobri aquele propósito. A história que mudou tudo começa em meus 15 anos, quando minha tia Rosete foi encontrada morta na própria casa. Lembro-me de meu pai e minha madrasta consternados quando chegamos lá e vimos o corpo sem vida. Depois de um longo tempo de terapia pessoal, a terapeuta me ofereceu um livro da suíço-americana Elisabeth Kübler-Ross (1926-2004), psiquiatra que era internacionalmente conhecida e havia revolucionado o mundo com seu trabalho com a morte. Eu tinha 16 anos e, numa única madrugada, li esse livro, *Sobre a morte e o morrer*, descobrindo nele a missão de minha vida. O que nunca teria imaginado era que, anos depois, eu viria a trabalhar com a família de Elisabeth, os antigos alunos e membros da equipe, e servir no grupo que dá continuidade ao legado da médica em todo o mundo.

No decorrer desses anos, fui testemunha ocular de uma das afirmações mais importantes de Elisabeth Kübler-Ross:

> As pessoas mais bonitas que conhecemos são aquelas que conheceram o sofrimento, conheceram a derrota, conheceram o esforço, conheceram a perda e encontraram seu caminho para fora das profundezas. Essas pessoas têm uma apreciação, uma sensibilidade e uma compreensão da vida que as enche de compaixão, gentileza e uma profunda preocupação amorosa. Pessoas bonitas não acontecem por acaso.

Neste livro, falo também da dor que experimentei ao lidar com as dores e os sofrimentos dos outros, assim como de tudo o que aprendi sobre isso.

Em suma, esta obra fala de como cuidar do próprio coração inexoravelmente partido.

Introdução

Este é um livro sobre dores inconsoláveis. E sobre algumas das principais formas de honrar a vida quando ela termina. Talvez o único fato incontestável em meu trabalho consista em ter ensinado às pessoas que a morte pode acabar fisicamente com uma vida, mas nunca com nossas relações com essa mesma vida. Foi uma certeza que desenvolvi não apenas com livros ou teorias. Depois de ter acompanhado centenas de pessoas enlutadas pelos mais diversos tipos de perda, você simplesmente descobre que luto é outra palavra para falar de amor. Mas talvez mais do que isso: bem cedo na vida, aprendi que o luto tem um poder radical e transformador, como preparação para tudo o que vem depois. Nem sempre compreendemos o propósito da dor em nossa vida, e só depois de algum tempo passamos a entender o significado de tudo o que vivemos. Este livro é sobre o que tenho podido testemunhar a respeito daquele grande aprendizado.

O luto é uma força poderosa que pode ajudar quem o vivencia a construir novos sentidos e significados na vida, o que implica sempre uma dose importante de coragem – em especial numa cultura que nos chama o tempo todo para a festa da vida, o que tornou a alegria quase uma obrigação. Alguns enlutados poderão encontrar desafios adicionais para cuidar do coração partido, precisando de mais tempo para dedicar ao próprio luto, mas deverão saber que não há nada de errado com eles. Não têm, dentro de si, nada que precise ser consertado. O que existe é apenas uma dor que precisa ser abraçada com compaixão ilimitada.

O luto é uma estrada não pavimentada e imprevisivelmente sinuosa. Ele é inflexível e parece desordenado ou "incivilizado", sobretudo para aqueles que aderem ao "culto da felicidade". O luto é um antiestabilizador, um processo que viola as regras, sendo resistente à contenção. O luto se recusa a seguir protocolo. É um território sagrado que pertence a cada indivíduo enlutado. Todas as pessoas que vivem ou já viveram um processo de luto sabem do que estou falando. Muitos enlutados o sabem porque sentem essa verdade até a medula, como afirma minha amiga americana Joanne Cacciatore, terapeuta do luto. Sentem profundamente. Ainda que tudo em nosso tempo os convoque a abandonar sua dor, virar a página, seguir a vida, esquecer o passado e olhar para o futuro, eles sabem que isso é absolutamente impossível, porque significaria sacrificar o amor.

Na vida em público, existem talvez poucos lugares onde os comportamentos não são adequados para o cidadão. O luto é um lugar emocional evitado porque é subversivo. Em geral, está fora de controle. A dor é atroz. Ela dá calafrios. É desagradável, selvagem, animalesca. E a sociedade faz de tudo para tentar reprimir a dor, para forçar as pessoas a se esconder do sofrimento, para silenciar com pílulas entorpecentes o lamento de uma mãe enlutada, para forçar a calma e controlar o que não pode – nem deve – ser controlado.

Conseguiremos rejeitar essas práticas se cada um de nós iniciar uma revolução empática em nossas relações com amigos e conhecidos enlutados, simplesmente aceitando-os como são. Não há lugar para egoísmo nem ditadura psicológica no luto. Não há lugar para aparentar dor mais arrumada, limpa, apresentável ou civilizada. A dor é, tantas vezes, crua, subversiva, caótica e certamente não civilizada. Precisamos evitar uma visão fantasiada do luto, como se ele pudesse ser um tempo enfrentado com otimismo. Quero apresentar a visão de que não temos saída, de que não existe escolha e de que, no luto, o sofrimento não é opcional, a não ser com altíssimo custo. Evitar o luto é colocar à venda o amor numa feira livre – forma de evitação que cedo ou tarde cobrará seu preço.

A dor que você sente não pode nem deve ser governada por outros. Proteja-se, com amorosa bondade quando puder, contra aquilo que

(Luto é outra palavra para falar de amor)

busca tirar o que é seu. Ouça aquele conhecimento sagrado que, no fundo de sua alma, diz ser essa dor uma reação natural a acontecimentos absolutamente impensáveis. Quando outros tentarem lhe forçar o "normal" e o "civilizado", quando tentarem apressá-lo em direção a uma "cura", quando tentarem coagi-lo para longe das lágrimas e rumo a algo para o qual você não está pronto, lembre-se de se proteger com seu sofrimento num espaço profundamente compassivo.

Quando possível, mantenha a cabeça erguida e ouça a advertência do poeta americano Walt Whitman (1819-1892) para recusar delicadamente aquilo que "insulta sua alma". Ouça as palavras do também americano Henry Thoreau (1817-1962), quando esse pensador diz que "todas as coisas boas são selvagens e gratuitas", e saiba que a dor mais valiosa é justamente esta: selvagem e livre de uma sociedade que se mostra imperialista em relação ao luto. Sim, selvagem, porque a dor é indomável e precisa de liberdade para correr livremente por todos os recantos do coração, até que encontre um lugar de descanso. Conserve seu luto em lugar sagrado, com profunda compaixão por uma sociedade que ainda não está educada para lidar com as questões da morte, do morrer ou do luto. E engaje-se na mudança. Falarei mais sobre isso no Capítulo 3.

Depois de uma grande perda, a maioria das pessoas enlutadas que conheci tinha basicamente uma única pergunta: *a partir de agora, o que faço com este imenso amor que sinto?* É um amor impetuoso, poderoso, torrencial. Uma avalanche que precisa encontrar seu destino. A dor do luto é uma avalanche de amor. De início, esse amor é incivilizado, desestabilizado, nada organizado, porque não há nada que consiga descrever quanto pode ser emocionalmente avassalador o processo de sobreviver à morte de uma pessoa amada. Esta é uma obra não apenas sobre a dor da perda, mas também sobre a grandiosidade do amor. Mais: é sobre o ofício de reconstruir a vida por amor a quem vai e a quem fica.

Quero que você veja o livro como um depositário de palavras que nasceram de meu contato com centenas de pessoas que viveram grandes mudanças. São palavras que relatam como elas descobriram formas de salvar o amor do silêncio do esquecimento. Um amor que se recusa a deixar morrer a história de uma vida, seja de apenas horas, seja de mais de 100 anos. Talvez o livro possa ser visto como cobertor para tempos de dor incivilizada, um recurso ao qual recorrer quando tudo de que você precisar for um pouco de paz em meio a uma crise latejante de amor. Mas saiba que não existe guia nem passo a passo para o processo de luto. O melhor guia habita o coração partido. Não há nada mais poderoso do que confiarmos em nossa sabedoria interior e nos abrirmos para viver todos os sentimentos do mundo.

Trabalhar com enlutados é ser testemunha privilegiada de um amor que nunca morre. Tudo o que aprendi com essas pessoas me levou à ideia de que viver o luto é como transitar por uma mata densa, onde usaremos toda a nossa energia para nos ajudar a fazer a travessia e onde eventualmente precisaremos descobrir novos recursos para lidar com a imprevisibilidade – seja dos sentimentos, seja das novas situações que enfrentaremos. Com a metáfora da mata densa, quero deixar claro que o luto é um processo pouco ou nada bem-comportado, porque todas as tentativas de domesticá-lo criam inúmeros problemas e revelam apenas nossa ineficácia social em lidar com as dores de um coração partido.

Meu trabalho consiste em defender que as pessoas tenham o direito de sentir, tenham o direito de se enlutar, tenham o direito de lidar com as catástrofes sem tentar atender às expectativas quase sempre inviáveis dos que estão ao redor. No dicionário do luto, palavras como *superação* ou *recuperação* parecem não fazer o menor sentido. Em todos esses anos cuidando de enlutados, a única coisa que pareceu de fato fazer sentido foi defender o direito que todos eles têm de se enlutar, assim como devolver às pessoas a confiança de que darão conta de seguir com a vida, ainda que a dor nunca se vá. Alguns corações nunca saram por completo e, mesmo assim, podem conhecer a força e a beleza da vida olhando para a própria imagem refletida no espelho da alma – e, desse modo, contemplando o encantamento e a glória do amor.

Com relação às histórias deste livro, altero algumas idades e outros elementos que poderiam tornar reconhecíveis as pessoas descritas, para que a identidade das personagens fique protegida. A maioria das histórias nasceu do contato com pessoas em nossos grupos de apoio e suporte ao luto na cidade do Rio de Janeiro. Assim, quem pretende reconhecer alguma delas estará, por certo, enganado. No entanto, a essência de cada passagem permanece inalterada. As histórias têm poder organizador, em especial pelo fato de que se consegue suportar toda dor quando é possível contar uma história sobre ela.

Então, gostaria que você visse o livro como uma oportunidade de escutar aquela voz silenciosa no âmago de seu coração partido, o conhecimento sagrado no fundo da alma que diz que essa dor tem lugar e hora e que a ausência da pessoa amada pode ser vivida com todos os protestos que você precise fazer. E, na vivência do processo de luto, você pode encontrar forças e uma forma própria de honrar vidas, no seu ritmo e segundo suas regras.

Depois de algumas centenas de horas acolhendo e ouvindo pessoas enlutadas, compreendi que os *relacionamentos curadores* ajudam as pessoas a integrar à vida a realidade da perda. A palavra *integrar* é mais poderosa do que *superar*. Um pai enlutado pela perda da filha de 16 anos me disse:

— A gente nunca se livra da dor, apenas aprende a colocá-la para sentar.

Integrar a perda no conjunto da vida é muito mais importante do que superá-la. Superar a perda é esganar o amor. Todos sabemos que isso seria um preço alto demais, imoral demais.

Ao continuar sua história de amor com aquela pessoa que morreu, quero que você saiba que é essa a verdadeira forma de imortalidade. Tornar-se imortal é essencialmente transformar-se numa lembrança que não sucumbe ao tempo. Quando decide que aquela pessoa viverá para sempre dentro de você, na memória, você a ajuda a passar ao panteão da imortalidade, porque encontra para ela um lugar onde se torna sempre acessível a seu coração partido. Este livro é uma conversa de alma para alma, de coração para coração. É uma conversa sobre amores que não morrem, não perecem, não cedem à passagem do tempo, porque nos negamos a permitir que nos deixem pela segunda vez. Porque protestamos contra a segunda morte deles.

Nos próximos capítulos, compreenderemos melhor como o ser humano pode se ajudar no processo de luto e como os que estão ao redor podem auxiliá-lo a lidar com a perda e a recobrar a confiança básica na bondade do mundo – porque muitas vezes essa confiança é abalada pela presença da morte. Também farei diversas recomendações a todos os que desejam se dedicar a esta tarefa sagrada de acompanhar pessoas enlutadas, para tanto destacando alguns dos erros e desafios que enfrentei no decorrer de minha trajetória. Ao final do livro, espero que você sinta que algo dentro de si está reflorescendo, no movimento orgânico de viver o próprio luto, à própria maneira, no próprio ritmo. E desejo que descubra que seu luto é apenas outro nome para o amor, essa emoção poderosa que é a essência dos relacionamentos humanos e imortaliza as histórias que vivemos para muito além de qualquer adeus.

1. A natureza do amor dá a cor do luto

Lutos: o meu, o seu, os nossos
Em meu trabalho com pacientes e famílias que viveram grandes perdas, compreendi o poder que as separações ou até mesmo a morte têm sobre o desenvolvimento humano – exatamente como aconteceu comigo. Compreendi também que a relação que as pessoas estabelecem com seus cuidadores principais, desde o nascimento, têm grande poder sobre como elas reagirão às grandes separações, mudanças e perdas na vida. O amor que recebemos no início da vida é literalmente incorporado por nós, de modo que, com base na natureza, na força e na intensidade dos relacionamentos que tivemos desde a primeira infância, passamos a ter verdadeiros moldes para todos os relacionamentos futuros.

Uma das pessoas mais influentes que investigaram os estudos sobre o poder do amor e do vínculo na formação dos seres humanos foi o psiquiatra britânico John Bowlby (1907-1990), cujos estudos mencionaremos neste capítulo. Ele descobriu que os cuidados maternos oferecidos na primeira infância podem definir a forma, a textura e a temperatura de tudo o que virá depois. A natureza dos vínculos que estabelecemos com o mundo e com os outros definirá nossa experiência com o luto. O amor cria a grande estrutura da vida, dando a cor, o movimento, o tom e os contornos do que seremos e do que nos acontecerá.

Insegurança no amor, insegurança no luto
Algumas pessoas crescem e desenvolvem a certeza de não conseguir se proteger do perigo e precisar de pais ou outros cuidadores

que façam tudo por elas. Desenvolvem autoconfiança muito baixa, sendo profundamente inseguras quanto às próprias forças. Sentem-se incapazes de desbravar a vida, de enfrentar o destino, de pegar a existência com as próprias mãos. Terceirizam a confiança. Em suas relações de amor, aprenderam que só sobreviverão se criarem, para todos os grandes movimentos da vida, uma relação de profunda dependência da figura amada. Quase sempre reagem com muita raiva à separação e sentem que só conseguirão sobreviver se houver quem as proteja o tempo todo. Em seus estudos, Bowlby dirá que essas pessoas vivem uma experiência de ansiedade pela dependência e dificilmente desenvolvem significativo senso de autonomia, ou seja, a crença de que darão conta de encarar sozinhas as grandes experiências da vida.

Uma mãe que conheci não deixava o filho amarrar os próprios sapatos, tomar banho sozinho ou ficar alguns minutos sem ela. Isso se estendeu por anos a fio. Refiro-me não apenas aos comportamentos da mãe, mas também a um conjunto de reações dela que, nas entrelinhas, diziam que o menino não tinha capacidade de crescer, de ser forte e autônomo. O fato era que a intensa ansiedade da mãe, por mais amor que tivesse em cada um de seus atos, apenas tornava o filho mais dependente, o que produziu efeitos significativos no desenvolvimento dele.

Na vida adulta, depois de uma perda, essas pessoas costumam enfrentar grandes desafios para aprender a viver por si. Exemplo disso foi Antônio, um dos enlutados que mais me marcaram.

O homem que não tomava banho

Antônio dependia enormemente da esposa, que tinha morrido num acidente tão súbito quanto imprevisível. Cinco meses depois de ter enviuvado, ele chegou até mim num projeto de apoio ao luto em que trabalhei durante muitos anos. Para se ter ideia do nível de dependência para com a esposa, Antônio veio com as roupas sem passar e com cheiro de quem não tomava banho nem usava desodorante havia muito tempo. Quando perguntei como estava (sem que eu conseguisse disfarçar o incômodo com seu mau cheiro), confessou:

— Não estou conseguindo fazer nada.

Não sabia viver sem a esposa e estava com muita raiva porque ela, sentia Antônio, o havia abandonado.

Como o grupo era frequentado predominantemente por mulheres, Antônio recebeu a atenção maternal de muitas pessoas, o apoio e incentivo para aprender a ter maior autonomia ao cuidar de si e um espaço para expressar e processar todas as emoções em relação à companheira. No começo, chegou a culpá-la por tê-lo tornado tão dependente dela. Mas na vida há uma hora em que precisamos parar de culpar os outros e começar a fazer alguma coisa a respeito. Aos poucos, Antônio foi entendendo que a esposa não havia sido a única responsável por ele ser uma pessoa dependente dos outros, que ele também tinha responsabilidade nisso e podia fazer algo para mudar aquela realidade.

Ao ter-se aberto para uma forma mais profunda de ajuda, Antônio conseguiu aos poucos reaprender a viver num mundo sem a esposa. Curioso foi que passou a amar as mulheres do grupo ou, pelo menos, acreditar que as amava. Para um viúvo como ele, era fácil tomar por flerte e interesse amoroso a forma generosa de ajuda que lhe ofereciam. Antônio estava simplesmente confundindo toda espécie de afeto com o amor romântico. Passou a se vestir melhor, tomar banho, fazer a barba e se arrumar com bastante cuidado. Foi doloroso vê-lo tentar se aproximar de todas as viúvas sem ser correspondido por nenhuma.

Numa das sessões do grupo, uma delas disse abertamente que não estava apaixonada por Antônio. Naquele momento, pedi a palavra porque percebi que Antônio estava em apuros e me dirigi diretamente a ele:

— Antônio, você não está apaixonado por nenhuma das pessoas aqui, que você conhece há pouco tempo. Está apenas voltando a se apaixonar por você mesmo. Está descobrindo um amor profundo e ilimitado por si próprio, e alguma parte de você está dirigindo esse amor a qualquer ser vivo que se aproxime.

Antônio chorou, e todos os músculos dele repousaram em algum lugar de amor, um amor visceral por si que, todos percebíamos, ele estava começando a desenvolver. Aos poucos, Antônio foi aprendendo a levar uma vida que fazia mais sentido para ele – no que, até a conclusão deste livro, não se incluía uma nova companheira, por mais que houvesse interessadas no relacionamento. Em um de nossos telefonemas, ele simplesmente disse:

— A vida está boa assim. Já vivi outros amores que não resultaram em nada mais sério. No momento, estou muito feliz com quem sou e não preciso de mais ninguém.

Evitar a vida é morrer para o amor

Outras pessoas aprendem desde cedo que precisam ser autossuficientes, que aparentemente se bastam e, por isso, os outros não são necessários. Bowlby descobriu, porém, que essa autossuficiência própria das pessoas evitadoras era mais aparente do que real. No mais das vezes, tinham sido criadas para inibir os comportamentos de afeto, de apego, e tendiam a aparentar indiferença quando se separavam, ainda que temporariamente, das figuras a que tinham se vinculado. Apesar da aparente indiferença, essas pessoas apresentavam no organismo altíssimos índices de cortisol, o hormônio do estresse. Por fora aparentavam força, mas por dentro estavam em pânico, lidando com uma experiência de catástrofe emocional. O fato primordial é que, na vida adulta, elas costumam ter dificuldade de buscar a ajuda dos outros, sobretudo quando essa ajuda é vital, como no processo de luto.

A mulher que sentia dor ao evitar a dor

Valéria era um bom exemplo de pessoa autossuficiente o bastante para recusar toda forma de ajuda, ainda que o próprio mundo estivesse desmoronando. Era o tipo de mulher que gostava de parecer invulnerável. Havia perdido o marido e queria aparentar ser a pessoa mais forte do mundo. Expressou sua emoção no enterro, mas logo se recompôs e passou a levar a vida normalmente, sem processar a quantidade de sentimentos proporcionais à enormidade da perda. O estresse que viveu fez que sua saúde física ficasse aos poucos comprometida e que, depois de alguns problemas psicológicos secundários ao luto, ela vivesse um tipo de crise que nunca tinha previsto.

Valéria procurava a emergência hospitalar por diversos problemas de saúde, como pressão alta e doenças inflamatórias. Várias partes do corpo falavam da dor, mas ela se recusava a ouvir. Ao ter evitado a dor da perda, ao ter-se distraído pensando na nova rotina, nos novos planos, ela se escondeu na vida – lugar curioso para se ocultar, porque, paradoxalmente, é onde a maioria de nós acredita que está se fazendo visível para os outros. Quase sempre, é no grupo de amigos, no meio da multidão, nas distrações do caminho, que pessoas como Valéria se escondem.

Tendo fugido da dor, Valéria criou para si a difícil tarefa de viver com ela no subterrâneo da experiência consciente. Sem ter-se dado conta, a dor que estava debaixo do tapete lhe minou a energia, tirou a paz, roubou a saúde, destruiu as delicadas fibras de seu coração partido. Valéria acreditava que conseguiria dar conta do sofrimento sozinha, que as pessoas ao redor jamais poderiam ajudá-la. Chegou a nosso serviço de apoio a pessoas enlutadas meses depois, profundamente assustada com um erro grave que havia cometido como médica, porque a memória e a atenção já não funcionavam bem e porque vinha tendo tantas doenças inflamatórias que tinha ficado exausta com tantas visitas a especialistas e tantos exames inconclusivos.

Somente depois que a dor havia invadido sem nenhuma delicadeza sua pele, seus ossos, sua alma, Valéria se permitiu procurar a única forma de auxílio possível.

Aos poucos, conseguimos ajudá-la a sentir-se segura para falar justamente sobre sua insegurança em relação aos outros. Criamos uma comunidade ao redor de Valéria, sem pressioná-la a nos aceitar nem querer que ela nos aceitasse a todo custo. Também aos poucos, suas defesas diminuíram, e a ajudamos a desenvolver maior confiança nas pessoas ao redor dela e pedir ajuda. Valéria conseguiu se abrir não apenas para receber apoio dos outros, mas também para sentir e processar a tonelada de dor que carregava orgulhosamente nos ombros. A grande diferença era que não queria mais fazer isso sozinha.

A *desordem do amor desorganiza o luto*

Algumas pessoas ainda vão aprender no decorrer da vida o que se costuma aprender sobretudo na primeira infância: que nem os outros estão disponíveis para elas, nem elas têm condições de viver sem os outros. Essas pessoas habitam uma espécie de limbo emocional. Vivem num espaço emocional de grande insegurança e de medo e, quando se separam das pessoas às quais se vincularam, sentem que algo dentro delas está quebrado e que o mundo será impotente para lhes dar a ajuda de que precisam.

É um nível de desorganização que remete a raízes mais fundas. Em suas obras, Bowlby considerou que tais pessoas, quando crianças, haviam tido experiências profundamente contraditórias: ora as figuras parentais atendiam às necessidades de afeto e amor, ora não atendiam.

Imaginemos a situação: em dado momento, você chora e seu cuidador vem consolá-lo e protegê-lo. Em outro, chora pelas mesmas razões e a pessoa que cuida de você se irrita e não o ajuda. Se esse padrão de relacionamento se mantiver por muito tempo (refiro-me não a comportamentos isolados, mas a estilos de resposta), a ideia que você fará do mundo é que não existe previsibilidade, estabilidade nem segurança alguma e, portanto, o mundo é um lugar muito perigoso. Além disso, poderá desenvolver a crença de que há alguma coisa errada dentro de você que faz que o mundo o ignore. Quando adultas, tais pessoas poderão viver lutos extremamente desorganizados, porque foram inundadas de formas de amor e de afeto igualmente desorganizadas.

Algumas pessoas só conhecem o amor pela janela da insegurança. Nesse caso, sua visão de mundo é fundamentalmente afetada pela experiência de amor inseguro, desenvolvendo imagem muito negativa de si e dos outros. Podem então enfrentar grandes desafios quando perdem uma pessoa significativa, porque se tornam descrentes de que os outros poderão ajudá-las e, de outra parte, mostram-se incapazes de confiar, mesmo temporariamente, nas próprias forças.

A *segurança no amor é a raiz da autonomia*

Outras pessoas, no entanto, foram capazes de desenvolver formas de relacionamento seguras, em que não só adquirem confiança nas próprias forças como também sabem que podem pedir ajuda, pois reconhecem que a ajuda virá. Tornam-se assim cada vez mais aptas a dar voos mais e mais altos, já que sabem que sempre haverá um porto seguro para onde retornar em tempos de insegurança e de crise, como acontece num processo de luto. Quando crianças, tinham figuras maternas que atendiam a suas necessidades sempre que necessário, que as protegiam sempre que houvesse sinal de risco e, por outro lado, as ajudaram a desenvolver recursos para se protegerem por si, tornando-se cada vez mais independentes. Bowlby percebeu que essas pessoas tinham grande capacidade de transitar pelas perdas e pelas separações, fossem temporárias, fossem definitivas. Não deixavam de sofrer, mas reconheciam em si condições de percorrer as mudanças da vida com os recursos internos, externos ou espirituais de que dispunham.

No apoio a enlutados, mais de metade do trabalho consiste em construir uma relação de segurança, em oferecer uma base segura que possibilite à pessoa fazer o movimento de exploração do mundo depois de ter vivido uma grande perda. A relação de segurança pressupõe uma boa dose de familiaridade, de previsibilidade e de dedicação. São essas as qualidades que formam as relações curadoras, capazes de modificar dinâmicas vinculares e possibilitar um crescimento existencial legítimo. Uma relação de amor seguro que pode ajudar as pessoas a transformar os estilos inseguros nos quais se desenvolveram desde o nascimento.

O fato é que as grandes linhas em que fomos educados pelo amor de nossos pais (ou de qualquer pessoa que os tenha substituído) não têm nada de absolutas e sempre podem ser modificadas no decorrer da vida, seja pelos relacionamentos que nutrimos, seja por outros fatores estressores que ajudam a modificar a natureza dos vínculos que estabelecemos conosco e com os outros.

Podemos transitar entre a segurança e a insegurança como grandes estilos de resposta às perdas durante a vida. Os estilos desenvolvidos durante a primeira infância têm grande poder sobre nosso desenvolvimento emocional, mas situações que envolvam traumas, separações e perdas, dependendo das circunstâncias, por vezes sobrecarregam os recursos internos e sociais de que dispomos para enfrentar a realidade, administrar situações estressantes e lidar com o perigo. Nossa maneira de nos relacionar conosco e com o mundo pode se tornar mais insegura, e aos poucos o mundo deixa de ser o lugar seguro que já foi um dia. Por outro lado, podemos estabelecer relações que nos ajudem a reconstruir uma visão mais positiva de nós e, aos poucos, voltar a acreditar na bondade e na solidariedade.

Consideramos justa toda forma de amor

O britânico Colin Murray Parkes (1928-), importante psiquiatra que estudou o luto em adultos, alertou para o fato de que todos os tipos de vinculação que mencionamos são adequados nos relacionamentos em que foram criados. Em outras palavras, toda forma de amor é adequada para a relação em que se construiu. Os problemas acontecem quando a relação é rompida ou transpomos a mesma dinâmica que usamos naquela relação específica para outros relacionamentos. Às vezes, se usamos a mesma dinâmica desorganizada de amor que aprendemos com nossos pais (por exemplo), deixamos nossos parceiros inseguros. Caso mudanças estruturais não

(Luto é outra palavra para falar de amor)

aconteçam, isso poderá dar o tom de todos os nossos relacionamentos pela vida inteira.

Falar de amor é falar da natureza mais primordial da vida. Inúmeros poetas já descreveram o amor muito melhor do que eu conseguiria, mas aqui farei algumas observações tanto sobre a essência orgânica do amor como sobre o caráter que ele assume quando passa a se chamar luto. Considero o amor uma experiência orgânica porque ele pertence à natureza humana e porque, simplesmente, é necessário à continuidade da espécie. Sendo mais do que uma necessidade para a perpetuação física da humanidade, entretanto, nosso anseio por amor dificilmente se explica em termos físicos. O anseio amoroso é todo espiritual, um movimento que nasce numa parte de nós que secretamente nos diz que somente pelo amor podemos dar algum sentido a nossa passagem por esta fugaz existência.

Amor é cuidado.

Quase todas as pessoas – mesmo aquelas que disseminam mensagens dúbias de medo, raiva ou até ódio – buscam o amor porque, no fundo, todos os seres aspiram à felicidade. Com frequência, porém, os indivíduos estão perdidos na falta de lucidez sobre o que pode de fato torná-los felizes. Algo dentro deles clama por amor, mas nem sempre conseguem ouvir com clareza a correnteza de amor que nasce dentro de si. Não raro, a bloqueiam, construindo paredes em volta do próprio coração.

Elisabeth Kübler-Ross, minha mestra quando o assunto é perda e luto, dizia que todas as emoções humanas mais poderosas nascem de duas grandes fontes em nosso espírito: o amor e o medo. Segundo Elisabeth, o medo era uma necessidade para nossa sobrevivência, mas ele poderia se distorcer a ponto de nos fazer construir um falso *self*, um falso eu, muito distante da essência amorosa para a qual fomos criados. Elisabeth dedicou grande parte da carreira a ensinar que, quando cuidamos de enlutados ou de pessoas com doenças graves, o amor é a única coisa que realmente ajuda alguém a encontrar a própria cura. Confesso que apenas recentemente compreendi a profundidade desse enunciado. Só um amor seguro, um porto seguro, pode ajudar alguém a lidar com as grandes perdas da vida sem se perder no mar da insegurança.

Algo essencial que todos precisamos entender é que as histórias de amor dificilmente são interrompidas. O luto é uma forma de dar continuidade a essas histórias. Enlutar-se é recusar o fim do amor. Por isso, precisamos olhar para quem vive um grande luto com o entendimento claro de que, independentemente da forma pela qual esteja vivendo sua perda, essa pessoa vem simplesmente dando continuidade, da maneira que lhe é possível, a uma história de amor.

O luto é um processo, não um acontecimento

O luto é um processo de aprendizado, uma forma de se adaptar interior e espiritualmente quando as coisas do lado de fora já não são as mesmas. A maneira como vivemos essas mudanças depende da qualidade e da intensidade do amor que tenhamos conhecido ao longo da vida. É por isso que algumas perdas terão efeito devastador sobre nossa experiência, ao passo que outras apresentarão potencial menos desorganizador e desafiador.

Diversas formas de perda – de um emprego, um relacionamento, um animal de estimação, uma condição social, da imagem corporal modificada por doença ou acidente, da pessoa amada – poderão dar sequência a processos de luto significativos.

Num de nossos grupos de apoio, um homem veio procurar ajuda porque enfrentava uma forma de luto muito difícil: havia perdido para um grande incêndio o local de trabalho, um museu com diversos documentos inestimáveis que tinham sido destruídos. Ao perder o local de trabalho, perdeu também a referência de cotidiano, assim como o convívio com pessoas que eram importantes para ele. Mais do que isso: perdeu a sensação de segurança com o fim daquelas centenas de documentos que havia dedicado a vida a estudar e catalogar. Em suma, ele perdeu o passado.

────(*Luto é outra palavra para falar de amor*)────

Não há regra para estabelecer que uma perda é mais dolorosa do que outra, porque isso implicaria uma régua para comparar sofrimentos, o que não existe. Perdas consideradas socialmente pequenas, como a de um animal de estimação, podem ter grande impacto na saúde mental dos enlutados. Todos conhecemos histórias de conhecidos que tinham como único vínculo significativo um cachorro ou um gato, tratado como filho, cuja perda foi devastadora.

Uma mulher que veio a um de nossos grupos de apoio disse:
— Perdi tudo quando meu cachorro morreu, mas ninguém vê isso.

Aos poucos, ela recebeu a validação de que precisava, assim como se abriu para processar a dor contando muitas vezes sua história, permitindo que seus sentimentos encontrassem um lugar de descanso. Viveu um luto que, apesar de pouco reconhecido socialmente, não deixou de provocar grande desorganização em sua experiência, pela natureza e intensidade do vínculo estabelecido com o animal.

É claro que desafios muito específicos se apresentam com alguns lutos – como a perda de um filho, que representa com tanta frequência uma quebra da continuidade e pode significar para os pais que eles falharam ao protegê-lo, o que constitui desafio adicional no processo de luto. Uma pessoa que conheci em nossos *workshops* me disse:
— Perder um filho é ficar órfão do futuro.

Nunca ouvi algo com tamanha precisão para indicar o desafio que mães e pais enfrentam para se adaptar a um mundo sem a presença dos filhos.

O luto é como uma árvore que está enraizada em nossa experiência de amor e cujos diferentes galhos apontam para diferentes áreas da vida. Quando alguém perdeu recentemente um ente querido, pode vivenciar uma série de experiências, sejam emocionais, sejam cognitivas, sejam comportamentais. Pode viver um luto mais emocional, chorando a perda e processando intensamente as emoções referentes aos recentes acontecimentos. Também é possível que viva um luto mais cognitivo, com perda da memória recente, dificuldade de concentração, confusão mental e rememoração constante quer dos fatos que levaram à perda, quer da perda em si. Há igualmente a possibilidade de um luto mais comportamental, cujos efeitos são mudança nas ações e reações ou até mesmo sintomas físicos, como alteração da pressão arterial, do apetite e do ciclo do sono. Outras vezes, o luto proporciona ajustes em nossa visão espiritual de mundo, suscitando uma revisão de valores e crenças filosóficas. Na maioria das vezes, porém, todas essas experiências acontecem simultaneamente.

Com grande frequência, os enlutados se veem às voltas com uma grande mudança em seu modo de funcionamento. De um dia para o outro, a vida normal fica do avesso, e a pessoa passa a funcionar de forma diferente, com mudanças na forma de sentir a realidade, sem que muitas vezes consiga explicar isso aos demais. Depressa começa a viver emoções intensas, que se alternam como se fossem uma montanha-russa. É comum ouvirmos de enlutados que eles sentem grande fadiga pelas muitas mudanças emocionais e sociais que estão experimentando, todas de uma única vez, num único processo.

As experiências de luto não representam apenas sentimentos de tristeza ou dor aguda, por mais que muitos considerem que o luto seja reduzível a essas emoções. Para inúmeras pessoas, o processo de luto significa uma oportunidade de crise que abre espaço para grande desenvolvimento emocional, com experiências de gratidão, paz, paixão, contentamento e esperança. As histórias que veremos a seguir me ensinaram que toda perda que enfrentamos na vida pode ser ocasião de transformar perdas pessoais, dramas e grandes tragédias em oportunidades de crescimento e mudança.

Se o amor é o que dá a cor ao luto, se nossa vivência de amor pretérita vai dar o colorido dessa experiência, então uma forma importante de ajuda consiste em oferecer aos enlutados condições para que preservem ou desenvolvam novas formas de se manter vinculados àquele amor, por meio de ações que façam sentido para quem fica ou para quem se vai.

2. O que faço agora com todo este amor que sinto?

Não há jeito certo nem errado de viver a experiência de luto. Não existe receita de bolo para honrar uma vida. Diferentemente da culinária, por mais que você junte os ingredientes de uma receita seguindo o passo a passo elaborado por outra pessoa, o resultado nunca será o mesmo quando o assunto é o sofrimento de um coração partido. Assim, gostaria que você visse não como *prescrição*, mas como *inspiração*, as cinco formas de honrar a vida que apresentarei neste livro. Costumo dizer que elas não dão um caminho, mas oferecem alguma luz, e então você poderá trilhar a rota que fizer sentido para você, em seu ritmo, de seu jeito, respeitando sua história e a história da pessoa que se foi.

Todo luto é absolutamente único. Assim como não existe impressão digital igual a outra, cada luto será irrepetível. Um coração partido nunca é igual a outro. As rachaduras da emoção são sempre diferentes. Quando consideramos o que vimos no capítulo anterior, isso é fácil de entender. A maneira como fomos criados, nossas referências de amor, nossos vínculos, tudo isso compõe o caldo dos significados do que é a vida para cada um de nós. Quando sofremos uma grande perda, cada de um de nós constrói significados bastante particulares para as mudanças que precisamos enfrentar. Nossas referências moram na vida que existe antes da perda. No passado mora tudo o que conhecemos, e, quando o futuro desaparece como fumaça em nossas mãos, a única pergunta que nasce de nosso coração partido é: *o que faço com todo este amor que me dilacera por dentro?*

A maioria dos enlutados que encontrei em meu caminho lidava com o processo fazendo um movimento de contração e expansão, como o do nascimento. O ventre materno, quando se prepara para dar à luz uma nova vida, se contrai e se expande. O universo parece fazer um movimento de expansão, e alguns astrônomos trabalham com a ideia de que um dia ele voltará a se contrair. Tudo na natureza parece se contrair e se expandir. O luto segue essa mesma tendência. Os pesquisadores Henk Schut e Margareth Stroebe, da Universidade de Utrecht (Holanda), criaram um esquema chamado Modelo Dual do Luto. Em essência, esse modelo diz que os enlutados, em seu dia a dia, lidam com dois polos da experiência: ora se contraem emocionalmente ao acessar a dor da perda, ora se expandem acessando o movimento de restauração da vida.

O coração partido de uma pessoa enlutada faz o mesmo movimento: ele se contrai e expande. Um exemplo pode nos ajudar a entender. Muitos enlutados sabem quanto pode ser difícil ir ao mercado para fazer compras depois de uma perda. No começo de um luto, qualquer dispêndio de energia costuma ser extenuante, e nem sempre se alimentar é tarefa fácil. Chegando ao mercado, suponhamos que o enlutado se distraia enquanto seleciona algumas verduras. De repente, passa por perto um indivíduo que usa o mesmo perfume da pessoa que morreu. Ao sentir aquele cheiro que habitou a pele de alguém amado, é comum que o enlutado sofra uma dor lancinante e faça um movimento emocional de contração rumo à perda. Logo depois, distrai-se de novo e continua a fazer as compras. Esse movimento de idas e vindas, de se contrair e se expandir, de lidar com a dor e se distrair dela, caracteriza o processo de luto. O normal e esperado é que os enlutados sigam fazendo esse movimento emocional durante a fase de adaptação, que não tem tempo determinado para acabar. Alguns chegam mesmo a dizer que passamos o resto da vida para nos adaptar a uma mudança que fez tudo virar do avesso. Concordo com essa visão.

Além da experiência prévia com o amor, determinados elementos colaboram para a experiência do luto. As circunstâncias da morte, bem como a morte em si, têm grande impacto sobre o processo. Foi

(*Luto é outra palavra para falar de amor*)

o que levou o psiquiatra americano William Worden, uma sumidade no assunto, a afirmar que há quatro grandes formas de morte – natural, acidental, suicídio e homicídio – e que todas impactam a experiência de como vivemos uma grande perda.

Morte natural

Pode ser esperada ou súbita. Como o próprio nome diz, ela segue o ciclo indomável da natureza, e quase sempre não temos muito a fazer. Quando nos dão tempo de prevê-la, podemos, por mais doloroso que seja, nos adaptar aos poucos a uma nova realidade. Mas há mortes naturais que chegam sem aviso. Essas têm grande potencial de desorganização, porque carregam uma força *potencialmente* catastrófica, não tendo havido tempo prévio para adaptação.

Um exemplo de morte natural esperada, com a presença de doença grave, é a história de Norma.

Abrindo-se para todos os sentimentos do mundo
Em meu trabalho com pessoas que estão diante da própria morte, conheci Norma. Fazia alguns meses, ela havia sido diagnosticada com câncer de pâncreas muito agressivo e avançado, inoperável. Depois de ter sido contatado pela família, iniciei meu trabalho com Norma no entardecer de uma quarta-feira. Ela estava internada em um hospital de luxo, com acesso a bons médicos e serviços de saúde, mas se encontrava num humor depressivo que preocupava a todos. Tinha passado a ver a vida apenas pelo lado das perdas que estava experimentando, e não eram poucas. Não se alegrava com nada, alimentava-se muito pouco e evitava o olhar das pessoas que a amavam. Entrei em seu quarto, me apresentei e, alguns minutos depois, tivemos um diálogo no qual revelou:

— Sou uma negociadora. Advoguei em nome dos direitos humanos, viajei o mundo para defender os direitos das mulheres, fui a conferências importantes e lutei pela vida de muita gente. Tenho orgulho disso. Até que veio esta doença e mudou tudo. Sinto que as minhas filhas não me conhecem. Não sabem o que gosto de fazer, o que não gosto, as minhas cores prediletas. Sinto que vivi muito para os outros e me esqueci de mim mesma. Sei que meu tempo está acabando, mas sinto que perdi muito tempo na vida. Não que não tenha feito coisas úteis, mas perdi a chance de permitir que as pessoas vissem quem eu realmente era.

Norma chorava entre as frases. Intuí que ela estava fazendo uma série de constatações importantes e percebi que não a ajudaria se tentasse fazê-la ver a parte boa da vida, pois Norma precisava, antes de tudo, ser autorizada a sentir o que tinha evitado desde sempre. Havia muita sinceridade em sua autoavaliação. Contemplei seu rosto e, como de costume, fiquei alguns minutos em silêncio. Por fim, disse-lhe:

— Norma, estou vendo você. Estou enxergando você.

E lhe ofereci a mão. Norma olhou para mim, e vi ensaiar-se um choro com sorriso. Ela vivia um luto antecipatório, porque estava gravemente enferma e lidava com todas as perdas simbólicas provocadas pelo adoecimento, assim como pela morte iminente, a qual nenhum de nós dois negava. Segui minha intuição e, para ajudar Norma, usei algo que estava acontecendo entre nós naquele momento:

— Norma, você está se mostrando para mim como é. Sinto sua autenticidade, sua abertura. Não a vejo como pessoa fraca. *Vejo sua força e beleza na maneira como está se mostrando para mim.* Como lhe parece ser vista dessa maneira?

— Está sendo... Está sendo... Libertador. Sinto que, em meus 57 anos, nunca me permiti mostrar realmente o que sentia. Tenho me ocultado esse tempo todo.

— Vejo você, Norma. O que impede que se mostre dessa mesma maneira a quem você ama? O que ganha em ocultar quem você é realmente? Qual tem sido a função disso em sua vida até aqui? Acho que você já entendeu que tem perdido muita coisa em não se mostrar, em não se abrir. Mas o que me parece é que está me dizendo, ou dizendo a si própria, que não quer mais ser a mesma Norma que não

───(*Luto é outra palavra para falar de amor*)───

deixa os outros verem quem você é. E você não precisa ser. O que a impede de se abrir, Norma?

Ela chorou e sorriu, fazendo que sim. Percebi que seu silêncio indicava não uma resistência à mudança, mas um assentimento que era o prenúncio da cura. Quando deixei o quarto do hospital, Norma estava sorridente, em paz.

Alguns dias depois, quando entrei novamente naquele quarto, vi uma mulher que estava sozinha mas tinha um sorriso de orelha a orelha. Sentei-me, dei-me alguns segundos para contemplá-la e percebê-la e disse-lhe:

— Tem algo acontecendo aqui, não?

— Minha filha acabou de sair. Ela me deu banho, e foi lindo, muito lindo. Ela me dava banho com grande cuidado, até que disse algo que nunca vou esquecer: "Mamãe, a sua pele é muito fininha". Segurei o rosto da minha filha e disse que a amava. Nunca imaginei que a minha pele pudesse ser fininha. Sempre fui casca-grossa, mas, pela primeira vez em anos, disse à minha filha que a amava. Sabe de uma coisa? Acho que *estou enfim me abrindo para viver todos os sentimentos do mundo*.

Norma me ensinou que, no processo de luto, seja por doença grave, seja pela perda de alguém ou alguma coisa significativa, precisaremos às vezes fazer não apenas uma grande mudança em como interpretamos o mundo, mas também uma grande redefinição de aspectos profundos de nossa personalidade. Só assim poderemos nos abrir para novas possibilidades de ser e viver neste mundo. Norma, quando passou a se abrir para entrar em contato com certas partes do eu que estavam negligenciadas, começou seu caminho em direção a uma mudança profunda.

A médica paliativista americana Rachel Noemi Remen (1938-) foi uma das primeiras pessoas a descrever esse processo. Dizia que, se alguém passa a viver em função de um único aspecto da personalidade, vai bloquear o crescimento saudável e a capacidade de se adaptar criativamente ao mundo. Norma é exemplo característico disso, pois a vida toda se identificou em demasia com um aspecto de sua personalidade, o papel da *advogada bem-sucedida*, deixando de lado os outros aspectos. Seguindo esse caminho, *veio a acreditar que aquela parte muito pequena do eu era sua verdadeira identidade*, passando a tomar a parte pelo todo. Durante nosso trabalho em conjunto, ajudei Norma a entrar em contato com a parte que ela ignorava em si mesma, o que lhe permitiu perceber necessidades que haviam ficado desatendidas durante uma vida inteira.

Quando Norma estava dando os últimos suspiros, eu cantava com sua família a música de que ela mais gostava. Queria morrer ouvindo aquela música. O último suspiro de Norma foi acompanhado de lágrimas e grande dor emocional daqueles que a cercavam. Convidei a família a praticar uma forma de honrar aquela vida e ritualizar sua morte, dando assim aos presentes alguma sensação de controle. Antes de permitir que o pessoal do hospital entrasse no quarto para todos os cuidados que deveriam ser feitos com o corpo, pedi a todos ali que repetissem comigo:

> Nós honramos os cabelos de Norma, que já brincaram com o vento.
> Nós honramos a testa de Norma, que já foi a sede dos pensamentos.
> Nós honramos os olhos de Norma, que já olharam as belezas desta Terra.
> Nós honramos seu nariz, a porta de entrada para sua respiração.
> Nós honramos suas orelhas, que já escutaram nossas vozes.
> Nós honramos seus lábios, que já falaram a verdade.
> Nós honramos seus braços, que tiveram força e vulnerabilidade.
> Nós honramos sua pele, que foi mais fina do que ela conseguia ver.
> Nós honramos suas mãos, que tocaram as nossas e já fizeram muitas coisas nessa vida.
> Nós honramos suas pernas, que a levaram a viver novos desafios.
> Nós honramos seus pés, que permitiram que ela seguisse o caminho da vida.
> Nós agradecemos todas as bênçãos que foram dadas a ela e nos foram dadas durante sua vida. Nós nos sentimos honrados por ter feito parte da vida dela.

(Luto é outra palavra para falar de amor)

A família de Norma chorava e sorria a um só tempo, experimentando tanto desoladora tristeza como grande gratidão. Depois, ao acompanhá-los em direção ao estacionamento, olhei em seus olhos e ouvi isto:
— Obrigado! Nunca vamos esquecer o seu rosto.

Também nunca me esqueci deles e do que me disseram ali. É possível honrar uma vida com profunda tristeza, mas também com profunda gratidão. Meu trabalho consiste apenas em ajudar as pessoas a polir os sentimentos e abrir o coração para vivê-los com sinceridade.

Tudo o que vivemos valeu a pena
Na experiência de uma perda anunciada, é possível transformar a vida e aos poucos se adaptar à realidade dos fatos. Mas existem, como dissemos, as mortes naturais súbitas. Conto agora a história de uma mulher que foi atingida por uma grande perda, imprevisível em tudo, e de seu caminho para fora das profundezas.

A carioca Márcia era importante executiva financeira, mulher de negócios bem-sucedida que viajava o Brasil para efetuar grandes ações em nome de sua empresa. Extremamente inteligente, culta e delicada – essas foram algumas das impressões que tive ao conhecê-la. Não foi muito difícil ver por que o falecido marido havia, 50 anos antes, se apaixonado por ela.

Márcia procurara ajuda em nosso programa de apoio a enlutados. Cerca de um ano antes de ter chegado até nós, ela estava em viagem no norte do Brasil quando recebeu uma ligação do marido, que tinha caído em casa. Conseguiu ligar para a mulher, mas não se levantar nem mexer o próprio corpo. Ele disse que a amava. Uma situação avassaladora. Márcia cancelou todos os compromissos e foi direto para o aeroporto, não sem antes ter monitorado a situação do marido com vizinhos e conhecidos que foram socorrê-lo. Depois da admissão no hospital, descobriu-se que era um acidente vascular cerebral (AVC) grave.

Quando Márcia enfim desembarcou no Rio de Janeiro, o marido estava totalmente dependente de aparelhos, com diagnóstico de morte cerebral. Ela chegou apenas para o fechar das cortinas. Depois de ter autorizado que desligassem os aparelhos, Márcia viveu um grande choque, que durou semanas. Ela flutuava entre a angústia e a profunda descrença. Realizou todos os rituais do mundo para homenagear o morto; criou listas e mais listas para não se esquecer de nada. Um dia, o corpo de Márcia ficou cheio de dor, justamente do lado esquerdo, onde o marido tinha experimentado o AVC que o levou à morte. Seu corpo apenas expressava uma dor incomensurável, que ela ainda não havia processado, pois estava distraída demais cumprindo todos os rituais que tinham sentido para os outros, mas nenhum para si mesma. Ao se dedicar a fazer tantas coisas do lado de fora, não havia ainda tomado tempo para processar emocionalmente a dor de uma grande perda pessoal.

Não é para fora da dor, mas através dela
O que aconteceu com Márcia sempre me faz lembrar uma história brilhante atribuída ao suíço C. G. Jung (1875-1961), o criador da psicologia analítica. Ele a teria vivido no trabalho de terapeuta, ao analisar o sonho de uma paciente. A meu ver, trata-se de um sonho extremamente revelador que se aplica muito bem ao processo de luto.

A paciente sonha que está no fundo de um poço escuro. Sai dele com esforço imenso e percebe que do lado de fora está Jung. Quando ela enfim consegue colocar a cabeça para fora, Jung a segura com as duas mãos e a empurra de novo para o fundo. Então, lá de cima, ela o ouve gritar:

— Não é para fora, é através!

Quando enfrentamos grande perda pessoal, não podemos fugir nem negar a dor, nem mesmo nos distrair dela. Precisamos ter a coragem de vivê-la, não para superá-la, mas para simplesmente atravessá-la. Em outras palavras: não é *para fora* da dor que devemos nos movimentar; é *através* dela.

Ao atravessar sua dor, em maior contato com os próprios sentimentos, Márcia descobriu novas possibilidades de vida. Tinha

―――(*Luto é outra palavra para falar de amor*)―――

bailado com o próprio pesar por muito tempo, e aos poucos percebeu que o luto é feito não apenas de tristezas, mas também de alegrias, contentamentos, pequenas esperanças, pequenos e grandes medos, dores que se arrastam em silêncio na alma. No fim das contas, entendeu que viveria o luto para sempre, mas que a ferida estaria mais cicatrizada e que a dor aguda, avassaladora, daria lugar a um sentido mais profundo de gratidão. Sem deixar de ser dor.

Num de nossos últimos encontros, ouvi o que considerei o sinal de que o luto de Márcia tinha enfim encontrado lugar de descanso:

— Tudo que eu e meu marido vivemos valeu a pena, e eu viveria tudo novamente se pudesse.

Disse isso envolta numa aura de profunda alegria, de gratidão e de novo sentido para a vida. Estava pronta para novas aventuras sem minha ajuda. Eu a reencontrei anos depois, numa cafeteria do Rio, gargalhando com as amigas, vivendo a nova vida, tendo aprendido a dançar não apenas com a dor, mas também com cada pequena alegria de seu caminho.

Perdas naturais – esperadas ou súbitas – podem ser muito estressantes e profundamente desorganizadoras, em especial se nos sentimos sem recursos para enfrentá-las. Mas o que as histórias de Norma e Márcia têm em comum? Ambas revelam algo fundamental: o luto não é apenas um movimento selado pela presença da dor e da tristeza; pode também significar um tempo de amadurecimento e crescimento, desde que não neguemos toda a dor que esse processo nos leva a experimentar e, em vez de evitá-la, nós nos permitamos senti-la e atravessá-la.

A próxima história mostra que isso, contudo, pode ser mais difícil do que se costuma pensar.

Morte acidental

— Gabriel era um menino doce — diziam seus pais.

Tive a oportunidade de conhecê-los muitos anos atrás, quando vieram a nosso grupo de apoio. Estavam com o coração profundamente partido. Gabriel havia morrido aos 12 anos, depois de uma queda. Foi em frente ao prédio em que morava, no mesmo lugar onde ele e as demais crianças jogavam amarelinha e futebol. A queda aconteceu num dia chuvoso, quando o piso estava encharcado e escorregadio. Gabriel havia descido apenas para colocar o lixo na lixeira do condomínio. Morreu sem aviso.

Essa tragédia ocorrera havia menos de um ano, mas pessoas bem--intencionadas vinham incentivando o pai e a mãe de Gabriel a "seguir em frente", advertindo-os de que era "hora de serem felizes de novo". Os pais ficavam muito magoados com o que ouviam dos que tinham conhecido e amado o filho. Nem mesmo sua comunidade de fé os apoiou além do tempo socialmente aceitável de um mês de luto. De modo mais perigoso, todos aqueles ditames pareciam ter incitado a dúvida nesses pais vulneráveis. Eles me procuraram porque "não confiaram" em si nem em suas emoções em torno da perda. Eu gostaria que toda a sociedade compreendesse o risco a que estão expostos os pais em face dessa situação. Passaram a desconfiar do próprio luto, como se o que sentissem fosse um erro. Como alguém em sã consciência podia acreditar que isso os ajudaria a "seguir em frente"?

Os pais de Gabriel precisavam de apoio e de um espaço seguro para vivenciar todos os sentimentos que experimentavam tão profundamente, mas que até então não haviam recebido a autorização social para viver. As pessoas queriam que se recuperassem logo. No entanto, antes de tudo, eles precisavam processar as emoções da tragédia, e tinham de fazer isso em segurança, para que não fossem retraumatizados. Em tantos anos cuidando de seres humanos que enfrentam lutos traumáticos, como o dos pais de Gabriel, aprendi que se as pessoas não se sentem seguras para processar a dor, elas não conseguirão se mover em suas emoções nem crescer em meio a todas as dificuldades. Parte do problema é que, quando passamos por alguma perda catastrófica, uma solidão existencial toma conta de nós. Em geral, o que permanece é uma pergunta: *como alguém*

(*Luto é outra palavra para falar de amor*)

pode saber a profundidade da minha dor? O primeiro passo é a autorização para sentir.

Aos poucos, os pais de Gabriel se autorizaram a lidar com todas as emoções da falta do filho. Sentiam consternação, culpa, desespero. Tinham tanta energia emocional para gastar por meio do luto que precisavam de um espaço para contar todos os acontecimentos muitas vezes, de novo e de novo. Ao terem narrado a história quantas vezes precisaram, chorado e lamentado quantas vezes foi necessário, rido e detalhado todas as pequenas alegrias que tiveram como pais de Gabriel, encontraram um lugar de descanso para seu sofrimento. De modo gradual, voltaram a trabalhar, a rever alguns dos antigos amigos. Mudaram diversos interesses, mas ainda tinham grande culpa, que de vez em quando aparecia em sua experiência emocional.

Meu trabalho consistiu em educá-los para o fato de que não havia nada de errado em sentir o que sentiam. Em ritmo próprio, foram aumentando a capacidade de *coping*, palavra inglesa que em português significa *enfrentamento*. Embora a dor do luto permanecesse, os pais foram desenvolvendo músculos emocionais cada dia mais fortes, como quem vai a uma academia e precisa de exercício para carregar certa quantidade de peso. O luto não se vai, mas nossa habilidade de nos relacionar com ele se expande à medida de nosso crescimento. E assim, aos poucos, conseguimos nos relacionar com a vida de outras maneiras.

Uma perda repentina como a de Gabriel não oferecia nenhuma possibilidade de previsão, mas levou os pais a sentir que poderiam ter evitado o que aconteceu. O desespero que sentiam no começo era algo muito bem explicado pela biologia, porque todas as células deles e todo o seu aparato biológico estavam programados para cuidar e, de repente, isso havia se tornado impossível. Depois encontraram um espaço seguro para expressar o desespero e, no próprio ritmo, chegaram a uma fonte mais profunda de esperança.

Deixo o alerta para que jamais tentemos fazer esses pais sentirem-se bem a qualquer custo, o tempo todo. O luto já é difícil o bastante sem que precisemos ouvir o que estamos "fazendo de errado" (ou ser chamados de "tão fortes", ou ser informados de que "parecemos tão bem"). Guarde para você os julgamentos, as suposições e até mesmo as prescrições de como viver essa realidade. Apenas fique com os que sofrem por uma grande perda e deixe-os sentir. Alguns dias podem parecer mais suaves do que outros. Mas a dor está bem ali, logo abaixo da superfície. Em certos dias, pode-se não ter nem vontade de sair da cama. Ninguém tem de entender isso. Você só precisa exercitar a compaixão.

Portanto, da próxima vez em que você pensar alguma dessas coisas por não entender a natureza e a intensidade desse sofrimento, considere-se afortunado por não ser você a pessoa que precisa ter esse entendimento.

Morte provocada por um terceiro – homicídio

O filho de Mário havia se envolvido com a brutalidade de um grupo de usuários e contrabandistas de drogas, tornando-se alvo vulnerável de toda sorte de abuso. Foi preso aos 18 anos, em posse de grande quantidade de drogas. A situação ficou mais complicada quando Mário o deixou aos cuidados da mãe, saiu de casa e foi viver com outra mulher, evitando o desgosto provocado pela situação insuportável. E o final dessa história foi trágico: o filho de Mário foi assassinado na prisão.

Essa dor foi seguida de uma série de outras, envolvendo trauma, culpa, uma terrível falta de significado e uma dor profunda pelo questionamento do sentido e do valor dos próprios atos. Todos os outros grupos de apoio, terapeutas do luto e serviços especializados que Mário conheceu tentaram fazer que ele se perdoasse e focasse os momentos bons de sua história. Já em nosso grupo procuramos abrir espaço para o sofrimento torrencial de Mário, o pesar, a falta de significado, e demos suporte a sua dor inconsolável. A brutalidade dessa dor era sufocante. Nela não havia nada de bonito, nada de prazeroso, nada de especial.

Havia muito ódio e medo, raiva e culpa, e ajudamos Mário a dar nome a todos os sentimentos, expressá-los, familiarizar-se com seus fantasmas e encontrar um espaço absolutamente seguro para fazer isso. Sem segurança, lidar com tantos sentimentos teria sido uma experiência de potencial retraumatização. Por isso, sempre digo que o elemento que ajuda as pessoas a se reconciliarem com suas histórias não é apenas a catarse ou a expressão emocional, mas quanto se sentem seguras para abordar sentimentos de muita insegurança. Mário pôde sofrer em segurança, cercado de familiaridade, previsibilidade, cuidado, respeito. Ninguém tentou amenizar sua dor, mas estivemos presentes com ele enquanto a sentia.

Aos poucos, Mário aprendeu novos recursos para enfrentar o sofrimento. A imagem que gosto de usar – e mencionei antes – é a da pessoa que vai à academia malhar os músculos e, de modo gradual, consegue carregar pesos maiores. Mário começou a ter mais força para sustentar o sofrimento e, assim, pôde seguir em frente.

O luto de Mário tinha encontrado lugar de descanso.

Suicídio

O filho de Marta tinha 22 anos quando, depois de ter tomado o café da manhã com ela, jogou-se do 12º andar. O peso da catástrofe foi terrível. Marta estava no terceiro ano do luto. Tinha vivido um grande trauma pela morte do filho, que se suicidara sem nenhuma explicação. Era uma mulher que amava explicações. Cientista, dava aula na universidade; era uma mulher que adorava explicações. Em nosso trabalho conjunto, repassou infinitas vezes todos os detalhes dos últimos dias de vida do filho. Não encontrou respostas que explicassem facilmente por que ele havia se matado.

Marta tinha se separado. Apesar de todas as dificuldades, era capaz de trabalhar e organizar a rotina. Seu coração estava ferido e sangrando, mas atuamos para aumentar seu terreno emocional e sua força para suportar a dor que carregava no peito. Certo dia, contou que a melhor amiga tinha perguntado o que ela estava fazendo para "trabalhar o fechamento".

O que é esse "fechamento" (ou "encerramento") de que tanta gente fala? O mais importante: por que é tão fundamental para os outros que enlutados encontrem o fechamento?

Desconfio que alguns acreditam no mito de que existe ponto-final para toda dor. Desconfio, sobretudo, que tal propaganda de fechamento se deve ao desconforto dos outros com o sofrimento. Alguns acreditam num conto de fadas em que, quando chega determinado momento, toda a dor e todo o sofrimento são levados para o mundo inferior. Acreditar nisso é melhor para eles.

Mas a tristeza e a dor profundas não podem ser forçadas ao encerramento. Nem deveriam ser. Afirmo que nos fecharmos para a dor é nos fecharmos para o amor; simplesmente, significa trancar o coração. Quando se exige o conceito de fechamento para aqueles que sofrem, a mensagem subjacente é perigosa. Ela diz: *não sinta*.

Rejeito o que estão vendendo, a ideia de "encerramento" do luto para deixar os outros à vontade. Essa retórica não é, e nunca será, minha verdade. O fechamento é para casacos, para contas bancárias antigas, para portas da frente. Ao longo do trabalho com Marta, elaborei demoradamente uma resposta àquela angústia de sua amiga, angústia que também havia perturbado Marta durante longo tempo. Ela enfim compreendeu que o luto seria para a vida inteira, porque precisaria reaprender a viver sem o filho enquanto estivesse viva.

Em meu trabalho com pessoas que perderam entes queridos por suicídio – chamadas sobreviventes –, aprendi que elas conseguem viver de novo, mas o fazem de maneira diferente. Aprendi a confiar que são capazes de voltar a sentir alegria, mas de maneira diferente. Aprendi que não precisam curar-se, que alguns corações partidos nunca se curam, e tudo bem. Aprendi a confiar que muitos precisam simplesmente abrir espaço para o luto enquanto estiverem vivos, em suas dores e ternas alegrias.

Marta tomou a decisão de manter o coração aberto para toda a beleza e todo o horror que é parte desta experiência na Terra e para lidar com a compaixão – com os outros – quando se sentisse pronta.

(Luto é outra palavra para falar de amor)

No próprio tempo, no próprio ritmo, em sua maneira orgânica de viver o luto. Para mim, ela é a prova de que a palavra *encerramento* não tem lugar num coração enlutado.

Nos próximos capítulos, abordarei como essa relação de amor pode continuar existindo depois da morte. A morte termina com uma vida, mas nunca terminam nossas relações com essa vida.

3. Primeira honra: honro a sua vida sobrevivendo à sua morte

Depois da morte de alguém que amamos, sobreviver é quase sempre uma experiência dolorosa e solitária. Num de nossos primeiros encontros num grupo de apoio ao luto, a mãe que perdeu a filha de 3 anos em situação absolutamente traumática me disse:

— Tudo dói. Todos os pedaços da minha carne doem.

Eu a convidei a polir os próprios sentimentos, dar-lhes nome e, aos poucos, otimizar sua musculatura emocional para viver com eles. Logo depois da perda, sobreviver tinha sido um acinte para ela, um absurdo, quase um crime. Parecia que ela estava desonrando uma vida que tinha acabado tão cedo. Havia momentos de desespero porque cada célula de seu corpo queria cuidar da filha, mas essa tarefa se tornara impossível. O desespero era porque suas células gritavam biologicamente em protesto pelo desuso da função maternal.

As pessoas que conviviam com essa mulher simplesmente queriam distraí-la. Na tentativa de protegê-la, minimizavam o significado de um acontecimento tão terrível sobre os sentimentos dela. A mãe enlutada passou a ter dúvidas sobre se deveria mesmo estar vivendo aquela dor, quando todos queriam que fosse feliz de novo. Por mais bem-intencionadas que fossem as pessoas, elas, agindo assim, estavam apenas deixando mais vulnerável aquela mãe e a colocando em risco. Essa história toda me lembra que a morte não tem espaço em nossa cultura e que os enlutados lidam – o tempo inteiro – com a grande exigência de todos os lados sobre qual seria a melhor forma de viver sua experiência.

Tentarei ser bastante explícito sobre a raiz histórica desse problema. Cerca de uma década atrás, Joanne Cacciatore falou pela primeira vez do conceito de *imperialismo psicológico* aplicado ao processo de luto. Assim como o imperialismo sociopolítico, o psicológico quer dominar, controlar e governar as experiências emocionais dos outros. A tendência fica particularmente evidente quando as emoções dos outros são percebidas como incivilizadas e perturbadoras da cultura coletiva de felicidade. Esses imperialistas centralizam a própria voz acima das vozes daqueles que mais sofreram. É um tipo de *psicocentrismo* – tendência a julgar as experiências emocionais de uma pessoa com um padrão arbitrário estabelecido por outra e, então, coagi-la a uma forma de ser mais socialmente aceitável, ou "civilizada".

Venho pensando nas maneiras pelas quais o imperialismo, ao longo dos séculos, prejudicou tantas pessoas em nome da "sociedade civilizada". Muitas vezes, achava-se que as tribos nativas estavam fora de controle, que eram "incivilizadas"; e as pessoas "civilizadas" estavam determinadas a ajudar a mudar aqueles modos de vida "selvagens". Para o imperialista, o caminho civilizado era programado, severo, calmo e controlado. Mas, em vez de seguirem as proibições "refinadas" estabelecidas pelos "iluminados", aquelas outras pessoas comiam quando sentiam fome, deixavam os filhos brincar na selva e entendiam os ritmos da natureza. Desde longa data, a ganância, a arrogância, a violência e o terror dos imperialistas alimentaram em todo o mundo a opressão e o genocídio das comunidades originárias e nativas.

A verdadeira barbárie, portanto, é do imperialista. O imperialismo psicológico é uma doença social que prejudica gerações e nasce da necessidade de dominar por causa do medo. A tristeza assusta os outros. Isso os deixa com medo das próprias vulnerabilidades. Assim, o medo é usado para reprimir a dor, para forçar as pessoas a esconder seus traumas, silenciando os enlutados com banalidades, excessivo otimismo, distanciamento emocional e pílulas entorpecentes, pretendendo administrar à força aquilo que não pode – nem deve – ser controlado.

(Luto é outra palavra para falar de amor)

Quando sofremos uma perda catastrófica, não há lugar para experiência emocional limpa, apresentável nem ordeira. Sobreviver é uma grande bagunça. Assim como aqueles que, buscando recuperar sua cultura e humanidade, lutaram contra o imperialismo político ao longo da história, os enlutados podemos lutar contra o que o psicólogo americano Robert Stolorow denomina *guerra contra a dor* e reivindicar o direito de viver o luto. Nossa dor não pode nem deve ser governada por outros. É uma terra sagrada que pertence a cada enlutado, não a colonizadores psicológicos.

Sobreviver é extremamente doloroso para muitos enlutados, embora não seja, é claro, uma experiência universal nem na mesma intensidade, nem na mesma frequência. Mas sem dúvida *escolher* sobreviver é dificílimo, algo com que quase todos os enlutados lidam com grande apreensão. É como se a cada pequena escolha precisassem subir uma montanha em período muito curto. Despendem grande quantidade de energia a cada pequena escolha. É esse o custo da sobrevivência. Pequenas tarefas cobram preços elevados. Emocionalmente, tomar banho pode significar o mesmo gasto energético de uma maratona. Comer é uma escolha desafiadora, do mesmo modo que lavar a louça, cuidar da casa, escovar os dentes. Para muitos enlutados, em especial logo depois de uma grande perda, todo pequeno momento é uma espécie de desafio extraordinário. Não costumam ver graça nem beleza em coisa alguma. Sua capacidade de ver e olhar está então incinerada pelo sofrimento. O poema "A questão é" ("The thing is"), da americana Ellen Bass (1947-), descreve com precisão esse tempo em que sobreviver é um grande desafio:

A questão é: amar a vida,
amá-la até quando você não tem estômago para isso.
Quando tudo pelo que você tem adoração
Se desfaz como papel queimado em suas mãos,
E a sua garganta se enche desse pó,
Quando a dor o acompanha

E seu calor tropical espessa o ar,
Pesado como a água,
Mais adequado para brânquias
Do que para pulmões.
Quando a dor pesa sobre você
Como a sua própria carne,
Apenas mais carne,
Uma obesidade de dor.
E então você pensa: como um corpo pode suportar isto?
Então você segura a vida como um rosto
Entre as palmas das mãos,
Um rosto simples, sem nenhum sorriso encantador,
Nem olhos cor de violeta.
E você diz: "Sim, eu vou te levar comigo,
Eu vou te amar de novo".

Todo pequeno esforço para sobreviver, mesmo quando a dor é profunda e intensa, constitui uma forma de honrar a vida de quem vai e de quem fica. Isso só acontece porque sobreviver é uma prova de amor. É dar prova de amor a quem se foi, pois o enlutado simplesmente resolve que não vai deixar o amor perecer. Sobreviver é um protesto.

O enlutado precisa ter o direito (mas não a obrigação) de protestar quanto quiser. Precisa ter o direito de dizer coisas bem feias a Deus ou ao que quer que seja. Precisa ter o direito de buscar a pessoa que morreu, de ir à cata de sinais da existência dela, de procurá-la com o olhar, de sentir que ela está chegando em casa a qualquer momento, de sentir que está por perto, de não dizer palavras de adeus. Mais do que isso: precisa ter o direito de simplesmente não ver sentido em mais nada, em coisa alguma.

Muitos enlutados talvez comecem honrando a vida de quem se foi ao esbravejarem contra a falta que aquele que morreu faz. A dor aguda, o choro, a tristeza, a falta de significado costumam ser

(Luto é outra palavra para falar de amor)

respostas normais para acontecimentos em tudo anormais e desprovidos de sentido evidente. Mas grande parte dos enlutados vive o processo justamente dessa maneira, com muito protesto e profunda reação emocional, na tentativa de recuperar a vida perdida. Têm esperança de que Deus rebobine a existência (como fazíamos com as antigas fitas de VHS) para que possam tocar o intocável, ver o invisível, amar o imponderável apenas mais uma vez. Precisamos ter não só o direito de protestar, como também a certeza de que essa é uma forma absolutamente legítima de honrar a vida de quem se foi. Às vezes, a melhor maneira de declarar um amor é aos berros.

Nem todas as pessoas, vimos, sobrevivem à perda da mesma maneira. Algumas têm o coração partido, mas vivem esses momentos com paz e sentimento de dever cumprido. Acreditam que tudo valeu a pena e, desde o primeiro momento, apesar da dor lancinante, sentem gratidão ilimitada pela vida que tiveram a oportunidade de partilhar. São mais serenas, ainda que doa muito, ou mais organizadas, ainda que oscilem entre um sentimento de dor aguda e um de distração e esperança. E recomeçam essa experiência de luto diversas vezes, até que a dor encontre lugar de descanso.

Algo que todos podemos fazer é nos engajar na transformação de como a sociedade lida com a morte. Há diversas maneiras de fazer isso, mas talvez a mais importante seja a que começa com nossa autorização para vivermos o luto com a maior autenticidade possível, honrando todos os nossos sentimentos, por mais dolorosos que sejam. Com isso, podemos nos tornar referências para as pessoas, descendentes ou amigos, que estão a nosso redor.

Também podemos nos engajar no grande movimento de educação para a morte. Existem centenas de modos de fazer isso, ensinando as pessoas próximas sobre a morte ou o luto, participando de *death coffees* (espaços de partilha para falar sobre a morte enquanto se toma café) ou de tantas outras iniciativas que, em diversos lugares do mundo, se destinam a quebrar o tabu e pôr o tema na ordem do dia. Acima de tudo, essas iniciativas servem a um grande propósito: recolocar todo membro da sociedade em contato consigo, seus valores, sua mortalidade. A lógica é simples: pensar sobre a morte é, em última análise, pensar sobre a vida.

Independentemente de como tudo isso é para você, de como você está vivendo esse processo, lembre-se de que escolher sobreviver é sempre uma declaração de que o amor não morreu. Você até pode criar uma ONG para acolher enlutados, mas não precisa, pois não são apenas as grandes coisas que sinalizam o esforço da sobrevivência. Você sobrevive quando decide que o amor é maior do que a morte. Você sobrevive quando, mesmo em meio a um amor intempestivo, uma dor paralisante, escolhe viver para poder contar a todo mundo sua história de amor.

4. Segunda honra: honro a sua memória abrindo-me para todos os sentimentos do mundo

O luto é uma jornada profundamente íntima e pessoal. É um terreno sagrado no qual tememos pisar, mas algo em nós exige que desempenhemos o que sabemos ser nosso por direito: a dor. E a experiência de perda pode ter infinitas camadas. Temos a perda principal – a morte de nossos filhos, companheiros, irmãos, pais, netos, sobrinhos, tios, avós, amigos, animais de estimação... E às vezes essa perda, em especial na morte traumática, vem com perdas periféricas: a da ingenuidade, a da inocência, a da confiança no mundo, a da segurança, a de outro relacionamento, a de um grupo de pais, a de uma casa ou emprego – o que chamo de perda necessária e temporária da realidade, da mente e do coração como eram antes... A lista pode ser interminável.

O que a grande maioria dos enlutados precisa é tanto de validação como de aceitação incondicional. Precisam entender que o que sentem não é uma maluquice abissal. E que dentro deles não há nada de errado que precise de conserto. Depois de ter-se sentido validada em seu luto tão traumático, uma mulher cujo marido havia sido assassinado me disse:

— Agora começo a sentir que meu corpo me deu o dom de discernimento, prudência e validação.

Basta que não neguemos a dor, e sim que a aceitemos.

A dor, como disse Rumi, é o grande mensageiro.

Sem ela, nosso corpo demora um tempo enorme para curar um ferimento simples, puramente físico. Que dirá então para "curar" um coração despedaçado. A morte de nosso amado é uma lesão inviolável e sagrada – além de uma ferida existencial que certamente leva uma vida inteira e muito mais para ser bem cuidada.

Entre o que sinto e o que faço

O dr. Kenneth Doka, gerontólogo americano especialista em cuidados paliativos, apresentou ao mundo uma noção que considero muito relevante. Explicou que os enlutados vivem dois grandes estilos de enfrentamento da dor: o primeiro é mais intuitivo ou emocional, em que a pessoa vive ativamente seus sentimentos e emoções; o outro é mais pragmático e prático, e o indivíduo passa o tempo fazendo coisas, ocupando-se de lidar com a burocracia, as contas a pagar, as pessoas que precisam ser avisadas. A classificação de Doka é particularmente útil para entender como os seres humanos lidam com os sentimentos e emoções depois de terem enfrentado grandes perdas.

A primeira coisa que precisa ficar clara é que nem todos processamos e lidamos com as emoções do mesmo jeito. Alguns simplesmente nos adaptamos aos acontecimentos mais dolorosos da vida *fazendo* coisas em vez de *sentindo* as coisas. Isso acontece com frequência, e tais diferenças são notáveis quando consideramos os recortes de gênero na amostragem dos enlutados em nossa sociedade.

Em minha experiência, vi centenas de vezes que homens enlutados tendem a lidar com a dor por meio de uma resposta operacional, pragmática, pouco afeita aos próprios sentimentos. O amigo Daniel Carvalho – coordenador do projeto O Luto do Homem, pioneiro no país – me ensinou que a única emoção socialmente aceitável é a raiva. Ele precisa viver a raiva para que sua vida seja vista e reconhecida como masculina. Depois de uma perda, os homens dão em geral um jeito de seguir fazendo coisas. Ocupam-se, lidam com os trâmites burocráticos. Isso não é regra, claro, mas é tendência, pois em nossa cultura, desde cedo, os meninos são socializados de maneira muito diferente daquela das meninas. Ouvem coisas como *não chore, não sinta, não seja maricas, você precisa estar forte para apoiar sua família* etc. Historicamente, a sociedade adotou um jeito de ser homem, e aqueles criados por essa sociedade vivem grande crise quando deparam com a dor incivilizada de uma perda irreparável. Felizmente, hoje já se nota um movimento de questionamento e oposição a essa cultura machista.

Já as mulheres tendem a viver outros desafios sociais e psicológicos. Delas se espera luto profundamente emocional, que transite com facilidade numa narrativa bem elaborada e numa gama grande de sentimentos. Espera-se que sejam biógrafas da própria transformação. Embora nem todas sejam assim, muitas o são. O fato é que as mulheres são estimuladas a lidar com a emoção, a expressá-la, e é assim que elas muitas vezes constroem a personalidade. Com frequência, a emoção é o seu sustentáculo. Por isso, a dor pode ser um caminho por onde transitam com relativa facilidade – ou não. Não existem regras. Mas, quase sempre, o amor abundantemente vivido no processo de luto tem nas mulheres um grande espaço emocional por onde transitar.

Posso dizer, no entanto, que já conheci pessoas que subvertem a regra fundamental. Assim como a vida, a dor sempre dá um jeito de nos mostrar a falência de todos os protocolos. Existem homens que dizem que amam, que declaram os sentimentos, que não têm medo do afeto, que desconhecem a raiva. E há mulheres que não sabem transitar pelas emoções sem tropeçar no medo dos próprios sentimentos e, por isso, refugiam-se em atividades, tarefas, listas de coisas para fazer. O fato é que precisamos reconhecer e aceitar as diversas formas de viver um luto e nunca exigir que as pessoas levem uma vida que não faz sentido para elas. Devemos respeitar todas as formas de amor. E o luto é somente outra palavra para falar de amor.

Honrar vidas

As lembranças são o fragmento de vida em que podemos descansar quando tudo o que temos é a falta de quem amamos. São os entrelaçamentos que ligam o passado ao futuro. Nossas memórias ficam guardadas num lugar de profundo afeto. Sei que eu sou eu e que você é você porque nos lembramos de coisas diferentes. As recordações são a base de quem somos. São nossa essência. É lá que moram nossas aspirações do futuro, porque o passado é onde tudo já se realizou e o futuro é uma grande interrogação. Se no passado existem as respostas (embora nem sempre claras para nossa consciência), no futuro moram as perguntas.

A memória é o pedaço de nós que prova o amor. É a prova do crime do amor, o espaço circular para onde sempre podemos voltar quando o presente é um leito de mágoas permanentes, que nos alfineta pela dor de uma falta insolúvel. E a memória é onde todos os nossos mortos repousam, um lugar que nada nem ninguém consegue destruir. Depois de uma perda, lembrar dói. Mas não lembrar seria uma violência, uma truculência. A guilhotina da memória é a morte do amor.

Honramos uma memória fazendo algo para que ela nunca pereça. Para que se sinta amada, respeitada, amparada na existência. Alguém somente morrerá de fato depois que a última pessoa que dele se recorde morrer também. Enquanto houver alguém que se lembre, que fale nela, que mencione seus feitos, essa pessoa não poderá morrer. Estará impedida de morrer. O nome de alguém amado que morreu é uma prece que todo enlutado pode entoar. É uma prece que nem Deus nem os anjos resistem a atender. O nome de alguém que amamos é a senha para o encontro com um amor concreto, ainda que invisível. Conheci um pai que perdeu o filho de 13 anos num acidente de carro e que, todos os dias pela manhã, dizia em voz alta:

— Eu te amo, Filipe.

Era a oração matinal de um coração que honrava o amor.

Abrimos o coração para viver todos os sentimentos não quando evitamos a memória, mas quando recorremos a ela para um reencontro sempre que necessário. Muitos pensam que o reencontro será possível só depois da morte, mas digo em alto e bom som que o reencontro é possível por meio da memória. Ela é o portal para o mundo

(Luto é outra palavra para falar de amor)

além da morte. O passado é onde tudo repousa. No presente, podemos honrar o passado por meio das coisas simples, mas sobretudo pelo afeto.

Cada ínfima ação, cada pequeno gesto de delicadeza, cada lembrança que transformamos em ato de contemplação ou de simples bondade é um jeito de honrarmos a memória de quem se foi. Também é um jeito de nos abrirmos para todos os sentimentos do mundo. Não evite os sentimentos relacionados a suas memórias, sejam quais forem. Nossas recordações ligadas ao luto costumam ser inundadas de sentimentos. São imantadas pela emoção – pois há um ímã poderoso que liga a memória ao sentimento. Não evite nada. Apenas abrace, exatamente como faria com um bebê que precisa de afeto. Talvez a primeira maneira de honrar uma memória é abraçar a emoção que se relaciona a ela. E abrir-se para se tornar íntimo dela.

A intimidade com a emoção é como uma dança nada sensual, mas muito íntima. Não há nada de *sexy* no luto. Mas existe a beleza de uma tristeza. A intimidade com a emoção torna tudo tristemente bonito. É como bailar de mãos dadas com nossa parte mais preciosa. Dançar com a memória é a mesma coisa que dançar com a emoção. É bom que se diga, porém, que cada um de nós dança ao próprio estilo. Uns o fazem de modo impetuoso, e outros com timidez. O necessário é apenas reconhecer que todas as formas de dançar com a memória são válidas. E que devemos abrir mão de quaisquer expectativas de como as pessoas vão lidar com suas emoções. O luto quebra as expectativas. Ele não segue nenhum padrão preestabelecido. Não exija das pessoas que elas sintam como você, ou como gostaria que sentissem, ou como não gostaria.

Toda vez que você começar uma frase com *Mas você já está assim?* ou *Ainda é muito cedo para...*, saiba que se trata meramente de sua opinião sobre o processo do luto dos outros. Lembre que o luto é um processo natural. E que a tristeza é só pequena parte de tudo o que o enlutado vive. Como já vimos, o luto é um conjunto de experiências. Nesse processo cabem emoções fortes, como amor, tristeza, medo, desespero, esperança, solidão, desamparo, glória, paz, paixão, compaixão. Também cabem experiências sociais, como isolar-se, evitar tarefas ou até se integrar mais. No luto acontecem igualmente experiências espirituais, como a busca de significado, a conexão com o sagrado, a relevância da beleza, não importando qual. Ocorrem ainda as experiências cognitivas, porque podemos ficar mais esquecidos, mais confusos, mais ausentes – e tudo bem.

Precisamos apenas garantir que todo enlutado seja respeitado em seu processo, seja como for. E dar-lhe o espaço de que precisa para sentir e processar suas experiências. E para honrar as memórias como fizer sentido para ele, por meio dos rituais que também lhe façam sentido. O ritual tem função toda especial no luto. Concretiza o amor, mas também dá ao enlutado algum poder sobre um processo tão associado à impotência. O ritual é um jeito de entoar uma oração ao amor, de recuperar o poder sobre algo que escapa tanto de nossas mãos.

Podemos ritualizar a sós ou em grupo, como acontece nos velórios, nas cerimônias religiosas, nas atividades sociais – em família ou com a presença de amigos e conhecidos – depois de uma perda. Algumas pessoas organizam caminhadas, passeatas etc., porque nem todos os rituais são religiosos, nem precisam ser. Também podem ser vividos na intimidade da solidão, revendo fotos antigas, por exemplo, ou preparando uma comida especial de que a pessoa que morreu gostava.

O ritual é o espaço em que a memória ganha contornos de materialidade. É por meio dele que podemos declarar o amor e adquirir algum poder sobre experiências de profunda impotência, desorganização ou caos. Os rituais não são, contudo, uma prescrição para viver o luto. O ritual tem de fazer sentido para o próprio enlutado, antes de tudo. O tamanho da homenagem precisa caber no tamanho do amor que existe nessa história. Portanto, se você ocupa a função de amigo, antes de sair sugerindo a realização de rituais,

(Luto é outra palavra para falar de amor)

ouça com sensibilidade quais eram as coisas que essas duas pessoas – a que morreu e a que sobreviveu – faziam e as tornavam únicas. É por aí que a gente descobre quais rituais podem ser feitos, porque eles refletem a continuidade de uma relação que a morte não consegue encerrar.

Ritualizar o amor perdido é encontrar formas de manter nosso relacionamento com aquele que morreu.

5. Terceira honra: honro o seu amor respeitando o meu tempo e o meu jeito de reaprender a viver

Ao pensarmos no imperialismo que devastou a cultura indígena em nosso país, deparamos com uma fonte de sofrimento que nos alcança de forma profunda. Há traumas que atravessam as gerações, reproduzindo modos duríssimos de dominação e dor.

O trauma transgeracional ou histórico é fenômeno real e extremamente potente. A quase obliteração de povos, a matança de incontáveis adultos e crianças, a subjugação, opressão e diáspora involuntária e o sequestro de crianças de suas famílias e nações são uma calamidade inesquecível que, deixando profundas feridas psicológicas, ficou marcada na mente e no coração dos que sofreram nas mãos dos ocupantes europeus.

A dra. Maria Yellow Horse Brave Heart, amiga de minha mentora Joanne Cacciatore, delineia os efeitos desse trauma em seu trabalho sobre o luto na história indígena das Américas: estresse traumático que atravessa as gerações, sintomas depressivos, mortalidade prematura excessivamente alta, saúde física precária, abuso do álcool, violência doméstica contra mulheres e crianças, crueldade com animais. Tudo isso se liga numa teia de riscos duradouros, perpetuando o ciclo de sofrimento que antes era infligido apenas por estranhos. Na "fase 1" de suas seis fases do luto histórico não resolvido, a dra. Maria observa que, na história humana, "não há tempo para o luto".

Não mesmo. Não há tempo para lamentar quando esses horrores são sistêmicos, generalizados e implacáveis.

No entanto, há um preço a pagar por essa evasão. O luto exige ser visto. Exige ser ouvido. Insiste num canal de expressão. Já vi inúmeros exemplos de luto cronicamente evitado, reprimido, desviado, silenciado e internalizado. Isso vale para indivíduos, para famílias e para culturas inteiras.

Os efeitos do *estou sem tempo para o meu luto* são impressionantes e em geral se manifestam contra os vulneráveis. Devemos estender a mão para os menos afortunados e mostrar compaixão, porque isso, mesmo que com o tempo e aos poucos, é mostrar que *conhecemos* a compaixão. E conhecê-la é ser capaz de mostrá-la. Para tanto, precisamos dar tempo para o luto ser processado no âmago de nosso coração partido. Do contrário, nunca respeitaremos o tempo de luto dos outros. Não podemos dar o que nunca recebemos.

Há um tempo para o luto acabar?

Até alguns anos atrás, havia o entendimento de que o luto tinha começo, meio e fim e de que o luto normal encontrava final inevitável quando os enlutados reaprendiam a investir em novos vínculos e projetos, deixando o luto para trás. Esse entendimento vem sendo objeto de questionamento, em especial pela visão moderna de que o luto não tem final e apenas se acomoda no coração partido do enlutado, encontrando lugar de descanso.

A dor aguda e aterradora tende a ficar para trás, cedendo espaço a uma dor que diminui de tamanho até caber na vida do enlutado, sem que a existência dessa pessoa seja apenas dor.

Junto com tal visão sobre o luto propriamente dito, vem surgindo um debate sobre os critérios diagnósticos que podem ajudar a identificar os enlutados em risco psicossocial. O que se discute é que a intensidade e a frequência dos sintomas de luto podem indicar problemas se a vida do enlutado está muito comprometida, havendo uma espécie de congelamento no polo da perda.

Nos últimos anos, surgiram inúmeras tentativas diagnósticas de identificar situações potencialmente desafiadoras, que exigiriam intervenção psicossocial qualificada, conduzida por pessoal com treinamento para atuar de maneira ética e tecnicamente precisa. Entre

(Luto é outra palavra para falar de amor)

outras importantes nomenclaturas, há algum alvoroço sobre o *transtorno do luto prolongado*, ou o *transtorno do luto complexo e persistente*, ou mesmo o *luto complicado*. Sim, este último é um problema que vem sendo debatido por estudiosos nos últimos anos, caracterizando-se por luto intenso que dura mais tempo do que seria de esperar pelas normas sociais – e causa prejuízo no funcionamento diário.

As marcas registradas do luto complicado são o anseio e a tristeza intensos e persistentes. Esses sintomas são em geral acompanhados tanto de pensamentos ou imagens insistentes do falecido como de sensação de descrença ou incapacidade de aceitar a dolorosa realidade daquela morte. Muitas vezes, os enlutados ficam atordoados ou emocionalmente entorpecidos e, em virtude da crença de que a felicidade está ligada única e inextricavelmente à pessoa que morreu, afastam-se dos outros. Podem ter senso de identidade diminuído ou desconforto com uma mudança de papel social; e, com frequência, estão perplexos e desnorteados ante uma dor que parece interminável.

O objetivo deste texto não é duvidar da existência de pessoas que precisarão de ajuda especializada, de profissionais qualificados ou de apoio social muito bem capacitado para atender a potenciais complicações no processo de luto. Não rejeito a necessidade de que se reconheçam os enlutados em grande risco psicossocial, nem de que eles encontrem tratamento adequado, mas acredito que certos grupos correm o risco de – mais uma vez – ser diagnosticados e "tratados" por causa de sentimentos e experiências que, após uma perda dolorosa e traumática, são normalíssimos.

Por exemplo, trabalhei com uma mãe que perdeu os três filhos num incêndio. Por que ela não teria um desejo persistente e intenso de reencontrá-los? Por que não quereria os filhos? Será que sentia tristeza? Vivenciava uma incapacidade de aceitar aquelas mortes? Por que não ficaria em choque, emocionalmente entorpecida, mesmo por longos anos? Por que não experimentaria uma diminuição do senso de si mesma? E não vamos subestimar a possibilidade de nos vermos cercados de pessoas cruéis e insensíveis enquanto estamos em luto.

Considere que, quando promovem o "tratamento" para um "transtorno" relacionado ao luto, estão com alguma frequência (embora nem sempre) afirmando que essas são reações aberrantes. Ou seja, são de alguma forma anormais. Estão medicalizando o que significa ser humano, o que significa amar e o que significa lamentar quando há, sim, muito motivo para lamento.

Quando a esmagadora maioria de uma população sente o mesmo, experimenta as mesmas emoções e contradiz o que os "verdadeiros" especialistas, olhando de fora para dentro, afirmam ser "normativo", deixo a eles a tarefa de demonstrar o que seria "normal" naquela população.

Rejeito a ideia de que a mãe cujos três filhos morrem em incêndio, a mãe cujos dois filhos são assassinados ou os pais cujo bebê morre durante o parto – ou cujo filho morreu de câncer aos 3 anos, ou cuja filha é estuprada e assassinada – sejam de alguma forma "disfuncionais" por sentir os sintomas acima mencionados. Não faltam profissionais tecnicamente bem preparados, clinicamente habilitados para traçar estratégias de cuidado competentes e responsáveis, e o comum entre eles é justamente a consideração pelo contexto, pela cultura e pelo histórico do enlutado. Esses profissionais não saem por aí fazendo diagnósticos que podem mais atrapalhar do que de fato ajudar. Repito: não quero questionar a importância de levar a cabo tratamentos profissionais quando o sofrimento de pessoas enlutadas os exige. Mas diagnósticos incorretos são muito danosos.

Um mundo onde aqueles fatos horríveis ocorrem é profundamente falho, e a verdadeira doença é a tendência de nossa cultura a patologizar uma dor e um sofrimento que deveríamos suportar. É óbvio que tais pessoas experimentam, todas, uma "deficiência no funcionamento diário". Na maioria das vezes, essa é uma reação normal às tragédias absolutamente anormais da vida. Claro, o luto é sempre complexo. O amor também. No fundo, a vida é complexa.

Portanto, vai aqui a pergunta: algumas pessoas precisam de apoio durante o luto traumático? Ou até mesmo durante o luto complicado?

(*Luto é outra palavra para falar de amor*)

Sim, de fato. E é evidente que poderão beneficiar-se de cuidados emocionais especializados. Agora a próxima pergunta: para fornecermos ajuda, precisamos medicalizar e patologizar o luto traumático? Não, não. Não precisamos. Nem devemos. É desdenhoso, uma ofensa a nossa humanidade. Há pessoas que se beneficiam de apoio medicamentoso quando necessário, mas nunca para colocar debaixo do tapete o luto propriamente dito.

Ao cuidarmos de pessoas enlutadas, nosso trabalho jamais deve ser minimizar, patologizar ou menosprezar o luto, e sim aumentar a capacidade de enfrentamento na pessoa enlutada. A segurança é a chave mestra para apoiá-la.

Ao oferecermos tempo, o mais importante é que ofertemos também espaço e bondade e, eventualmente, apoio sem coerção, conforme a pessoa – se e quando estiver pronta – voltar a construir significado e propósito na vida. Algo importante que sempre precisamos levar em conta: nosso trabalho não é construir significados para os enlutados; é, isto sim, ajudá-los a construir os próprios significados para a perda, no tempo e no ritmo deles.

Claro, fica o alerta: caso o enlutado ou as pessoas que o amam percebam que a intensidade e a frequência dos sintomas de luto estão inviabilizando que enfrente a vida, talvez ajuda extra seja necessária. Nem todos os enlutados precisarão dessa ajuda; mas, no caso dos que precisarem, é importante que recebam apoio compassivo para que, em ritmo próprio, consigam integrar a perda à vida.

* * *

Existe uma patologia do luto, mas não é o luto em si. Não é a duração nem a intensidade dele. Não são as maquinações selvagens da dor nem os pensamentos incessantes (mas normais) sobre o que "faríamos" de maneira diferente se pudéssemos. Não é a atemporalidade da dor nem sua capacidade de penetrar em cada momento nosso. A meu ver, a patologia que mais cria tantos problemas na sociedade é a intolerância dos outros para com a dor e o entendimento dos que sofrem.

De médicos e terapeutas que tentam sedar prematuramente e reprimir o luto (talvez indicando a própria impotência emocional e o próprio pânico, pela falta de treinamento ou pela incapacidade de terem cuidado de algum outro luto pessoal) a líderes espirituais que sentem que devem parecer sábios e talentosos em face de tais horrores, afirmando conhecer a vontade de Deus, vemos figuras que simplesmente não têm noção do que é "normal" após uma morte catastrófica. A evitação do luto pela sociedade exacerba a solidão e a dúvida de muitos enlutados vulneráveis.

Enlutados: se puderem, encontrem apoio compassivo. Estejam com outras pessoas que se lembrarão de vocês, que não julgarão suas lágrimas, que conseguirão ouvir a versão não editada de sua tristeza e dor. Um dia, vocês estarão mais fortes para carregar o peso de seu sofrimento. E, um dia, poderão ajudar outros a carregar o mesmo peso.

6. Quarta honra: honro a sua marca no mundo celebrando a vida que tivemos juntos

O que aconteceria se, como cultura, conseguíssemos despender energia aprendendo a integrar nossa dor em vez de vencê-la, resolvê-la, lutar contra ela ou superá-la? O que aconteceria se, como cultura, fôssemos capazes de partilhar nossa dor uns com os outros? Recordar nossos mortos juntos? Ouvir expressões de tristeza em todos os lugares a que fôssemos, sem precisar correr ou mudar os sentimentos do outro? Abrir o coração para o sofrimento de outras pessoas, dos animais e da Terra? Conectar-nos verdadeiramente com tudo, em toda a beleza e toda a dor?

Meu palpite é que nosso coração se expandiria, abrindo espaço para amizades mais autênticas, para alegrias mais intensas, para mais significado e propósito em nossa vida – e, o mais importante, para uma compaixão profunda e duradoura pelos outros, por nós mesmos, por todos os seres e pela Terra.

Esse é o tipo de mundo que todos queremos.

Sinto muito pela perda que você sofreu. Todos sentimos. E gostaria que você visse este livro como seu cobertor para tempos difíceis. Que ele seja um recanto seguro para suas emoções, sejam quais forem. Permita-se sentir, ritualizar, relembrar, contar sua história quantas vezes precisar, colocar os pertences daquela pessoa num lugar sagrado, aonde você possa ir quando a saudade apertar.

Apenas não se sinta constrangido por sentir o que sente até a medula, no âmago de seu coração partido. Você tem direito não apenas a seu luto, mas também a diversas outras coisas, como pequenas celebrações de sua vida ou da história de quem você amou e já não está a seu lado. Vou listar aqui muitas delas, e peço que você as veja como caminhos possíveis, nunca como obrigações. Espero já ter demonstrado minha posição sobre o problema do imperialismo psicológico no processo de luto e sobre quanto acredito que todos devemos ter simplesmente o direito inalienável de sentir.

Celebrar a vida é um ato de coragem, em especial porque precisamos de coragem para viver um luto, mas também para não perdermos nenhuma centelha de luz em nosso caminho. Se temos de defender nosso direito de protestar, de sentir a dor, de abraçá-la com compaixão e cuidado, podemos também nos dar o direito ao descanso da dor.

Todo enlutado tem direito a celebrar a vida e até mesmo encontrar lugares de refúgio para descansar do próprio sofrimento.

Simplificando, amo minha dor porque é uma conexão com meu amor. Não quero nunca me recuperar da dor, me livrar dela, resolvê-la, lutar contra ela, "seguir em frente". Isso significa que ainda posso ser feliz? Produtivo? Ter uma vida significativa? Claro. O mesmo horizonte que contém o sol contém também a lua.

Seguem algumas sugestões, muitas delas aprendidas com minha mestra Joanne Cacciatore e também cuidando de centenas de enlutados na última década:

1. Passe pelo menos de 15 a 30 minutos diários em meditação, oração ou silêncio, apenas para estar com você mesmo. (Dica: existe um aplicativo, o Calm, que pode ajudar nos primeiros passos na meditação.)
2. Faça pelo menos 20 minutos diários de exercícios – ioga, caminhada, *tai chi* ou qualquer outra atividade do tipo que esteja dentro de suas possibilidades.
3. Permita-se rir quando se sentir verdadeiramente bobo, exuberante ou alegre. (Dica: algumas boas comédias da Netflix ajudam.)
4. Cerque-se de cuidados com os outros – família, amigos, colegas. Procure a companhia de pessoas que sejam compassivas e gentis.

(Dica: mesmo que você não possa se conectar pessoalmente agora, experimente o WhatsApp, o Zoom ou outro aplicativo de reunião e agende "entradas" – em vez de saídas – com amigos e família, nem que seja para chorar, rir, fazer hora, estar presente.)

5. Se for possível, encontre o sol durante pelo menos 20 minutos todos os dias. (Dica: você pode combinar meditação ao ar livre com 20 minutos ao sol.)

6. Observe e experimente verdadeiramente a natureza. Contemple o céu ao caminhar na rua. Ouça o som das aves. Preste atenção às árvores, sinta o cheiro das flores, ouça o zumbido das abelhas e observe o trabalho das formigas. (Dica: já que enfrentamos muitas mudanças de estação durante o longo isolamento, podemos simplesmente contemplar como a natureza, o tempo todo, nos ensina sobre as perdas.)

7. Sem forçar, sinta gratidão diariamente até pelas coisas simples que costumamos dar por certas: boa saúde, família, água corrente, casa e comida. (Dica: pegue uma pilha de papel, ou vá ao computado, e escreva bilhetes de amor para sua família.)

8. Mostre ativamente compaixão pelos outros. Procure oportunidades de ajudar, mesmo que sejam pequenas. Também ativamente, tente ser gentil todos os dias. E seja voluntário ao menos um dia por mês. (Dica: você pode se oferecer para fazer coisas como ler livros para um vizinho idoso ao telefone; deixar comida ou outros suprimentos na porta de alguém; ou ser voluntário em abrigo de animais para passear com os cães.)

9. Apoie seu cérebro: dentro do possível, tenha uma dieta saudável. Procure um nutricionista ou converse com um médico sobre a melhor dieta ou as melhores formas de se alimentar em tempos de perdas e luto.

10. Expresse amor, gratidão e afeto. (Dica: você pode fazer isso nas redes sociais, não só com familiares e amigos, mas também com estranhos. Considere pedir comida para um departamento específico do hospital local como um *obrigado* à equipe.)

11. Encontre a expressão criativa: jardinagem, ioga, arte, música, escultura, poesia, escrita – qualquer forma de transformar emoções em criatividade. (Dica: adoro poesia acróstica. Talvez você também goste!)
12. Seja seu melhor amigo. Agora. (Dica: quando você estiver se debatendo, imagine o que gostaria que seu melhor amigo dissesse ou fizesse por você. Em seguida, faça exatamente isso.)
13. Chore bastante quando precisar. (Dica: as lágrimas emocionais têm bioquímica diferente daquelas das lágrimas irritantes ou lubrificantes. É por isso que, muitas vezes, sentimos alívio físico e emocional após um bom choro.)
14. Beba muita água.
15. Aceite e abrace as emoções dolorosas sem afastá-las. E aceite e abrace as emoções do tipo *sentir-se bem* sem se apegar a elas. (Dica: isso requer prática. Lembre-se de que o luto é como um rio em curvas, fluindo desinibido, sempre mudando).
16. Pratique a solidão. (Dica: gosto de chamar esse tempo de autossolidão, em vez de autoisolamento. Reserve um tempo para você; encare como a oportunidade para fazer algum trabalho interior, talvez.)
17. Dormir é fundamental. Durma generosamente. (Dica: se for o caso, procure um profissional que possa ajudá-lo a entender as principais dificuldades que você tem para dormir e os recursos – por vezes simples – que podem ajudar nisso.)
18. Jogue sujo. (Dica: suje-se, ande na lama, ande descalço – ou faça caminhadas assim, se tiver coragem!)
19. Lembre-se de seus entes queridos e insubstituíveis que morreram. (Nenhuma dica é necessária aqui, mas às vezes pego as fotos desses meus entes queridos, ouço minhas canções tristes favoritas e choro com saudades deles.)
20. Experimente coisas novas. (Dica: você pode ter aulas de pintura *online*, visitar museus ou assistir a documentários sobre países estrangeiros.)

21. Encontre sua música especial. (Dica: analise sua *playlist* antiga e ache uma música de que realmente goste agora. Ou, às vezes, garimpe músicas dos anos em que estava convivendo com aquela pessoa que você perdeu.)
22. Procure aqueles que fizeram diferença em sua vida e diga isso a eles. (Dica: gosto de voltar pelo menos 15-20 anos no tempo e estender a mão a um professor ou a outra pessoa que me ajudou.)
23. Ajude a construir pontes de amor, não de medo, entre as pessoas. (Isso é tão difícil agora! Uma forma de construir pontes é comprometer-se a não descartar o que os outros sentem, mesmo que seja o medo. Se alguém compartilha que está esperançoso, apenas ouço com o coração aberto. Se diz que está com medo, também ouço com o coração aberto. Peço que me estendam a mesma cortesia.)
24. Se e quando puder, tire uma folga dos aparelhos eletrônicos. (É fácil ser sugado pelas redes sociais e pelas notícias do mundo. Dica: quando estiver em ambientes fechados, faça pausas frequentes desse tipo. Aproveite para fazer o mesmo quando acabar a bateria do celular, por exemplo.)
25. Trate-se com um dia de conforto. (Dica: ou talvez uma hora? Tome um banho de espuma. Vá à pedicure. Faça sua sobremesa favorita. A luta por momentos de conforto é real.)
26. Pague um café para um estranho ou para um morador de rua.
27. Descubra rituais diários ou semanais de consolo, como acender uma vela, queimar incenso, escrever um diário ou dedicar-se a algum hobby que homenageie sua pessoa preciosa.
28. Abrace sua dor com uma compaixão ilimitada e dê tempo inclusive para a dificuldade de fazer qualquer das coisas que mencionei acima. Você não está obrigado a fazer nada. Não se force. Siga vivendo conforme seu ritmo e suas possibilidades. Abrace-se com delicadeza e já estará celebrando sua vida e a memória de quem se foi para sempre.

* * *

Algo muito importante que devemos considerar ao cuidar de pessoas enlutadas é a sensibilidade cultural. Celebrar a vida é sempre algo que fazemos no âmbito de uma cultura, atendendo a certos princípios que essa cultura recomenda ou censura.

O luto é sempre um fenômeno cultural. E precisamos rejeitar, de uma vez por todas, a ideia de que existe um único jeito de vivê-lo.

Querido leitor, respeite-se e considere suas tradições, suas referências e sua história de vida ao considerar tudo o que dissemos até aqui. Sua maneira única de lidar com uma dor bárbara, bruta, sem precedentes, não precisa ser corrigida. Respeitar isso também é amor.

7. Quinta honra: honro o seu legado reencontrando lugar para você numa nova vida

Nossa cultura de negação e evitação fóbica do luto tenta desesperadamente retirar do enlutado a experiência de conexão com a pessoa que morreu. Assim, ouvimos o tempo todo histórias de fotografias que são subtraídas dos porta-retratos, ou de amigos que de repente passam a evitar os nomes das pessoas mortas. É hora de rejeitar essa prática ascética em relação ao luto.

Nos estudos na área, houve um tempo em que se considerou que o luto saudável seguia curso definido e que o enlutado lamentaria e choraria até poder se dedicar a novos projetos e se desligar da pessoa que morreu. Hoje notamos que raramente as coisas acontecem dessa maneira, e a experiência descrita por pesquisas em todo o mundo vem contestando aquela visão conservadora.

O luto propriamente dito não tem nada que ver com se desligar da pessoa morta, nem se resume a lamentar e chorar sua ausência. Ao contrário, é um trabalho profundo de reencontrar lugar para aquele que morreu, de lhe dar lugar na vida emocional do enlutado, de fazer que ela continue participando da vida dos sobreviventes por meio de histórias, celebrações e ritos, impedindo que ela morra pela segunda vez.

É hora de todos os enlutados saberem que podem, sim, manter uma relação com a pessoa morta, se isso ajuda.

Nenhuma declaração de amor, seja por palavras, seja por ações, precisa deixar de ser feita simplesmente porque aquela pessoa se tornou invisível.

Preservar o vínculo rompido pela morte é honrar o amor que fica, mesmo quando a vida daquele ente querido acabou.

É jamais dizer adeus mais de uma vez.

A poeta americana Mary Elizabeth Frye (1905-2004) destacou bem a essência dessa quinta honra nos versos de "Não chores diante do meu túmulo" ("Do not stand at my grave and weep"):

Não chores diante do meu túmulo
Eu não estou lá
Eu não durmo
Eu sou os mil ventos que sopram
Eu sou o diamante que cintila na neve
Eu sou o sol nos grãos maduros
Eu sou a suave chuva de outono
E quando acordas no silêncio da manhã
Eu sou a prontidão inspiradora
Das aves tranquilas circulando em voo
Eu sou as estrelas que brilham suaves na noite
Não chores diante do meu túmulo
Eu não estou lá

Recolocar a pessoa morta na vida, em um lugar onde podemos continuar esse relacionamento, costuma ser fonte de grande alívio para muitos enlutados. É por esse vínculo contínuo que podemos honrar aquela vida, encontrando recursos para seguir escrevendo a história de um amor que se recusa a morrer.

O mais importante é que a história de amor não precisa deixar de ser escrita, embora seja essa a experiência de muitos enlutados na fase aguda. Temem seguir escrevendo sua história porque, de repente, perderam todo o futuro. Mas, se descobrirem que podem continuar a relação com a pessoa morta, o futuro será menos assustador. Poderão continuar dizendo seus nomes, fazendo a comida de que gostavam e chorando a ausência deles nos feriados e dias especiais. Depois de uma perda significativa, são raros os feriados ou férias sem a presença onipresente do luto.

(Luto é outra palavra para falar de amor)

Seguir mantendo o relacionamento, como for possível para o enlutado e como fizer sentido para ele, será honrar o amor e encontrar recursos para seguir em frente.

* * *

No entanto, faço uma advertência: em nossos tempos líquidos, de livros que apontam saídas fáceis e formas amigáveis de resolver o sofrimento, muitas vezes vemos falarem sobre a construção de sentido, de um propósito, e até mesmo utilizarem termos como *crescimento pós-traumático* para se referirem ao trabalho de luto após uma perda grande e significativa. Rejeito a ideia de que os enlutados devam ter prazo para fazer isso.

Toda pessoa deve construir novos significados e encontrar novos sentidos para sua vida conforme as próprias regras, segundo as próprias capacidades.

Seguir em frente será sobrevivermos a uma grande tragédia como nos for possível fazê-lo. E honrar nossa sobrevivência será respeitar nossos limites com profunda autocompaixão, pelos meandros e cavidades de nosso coração partido.

8. As faces do luto expostas pela Covid-19

Este capítulo se divide em dois, pois escrevo para duas partes da humanidade, que atravessa talvez um dos maiores desafios de saúde pública dos últimos 100 anos, a pandemia do novo coronavírus. A primeira parte se dirige aos corações partidos de medo, que lidam com a ansiedade da incerteza e o temor de que tudo se desfaça em suas mãos e precisam de ajuda para reencontrar a esperança. A segunda parte é para os corações partidos de luto, esperando que consigam achar um lugar de descanso para sua dor, para que encontrem validação e cuidado em tempos tão difíceis. Coloquei o coração no que se segue.

Corações partidos pelo medo

Querido habitante deste planeta, todos confrontamos uma zona profundamente sombria em virtude da Covid-19, que trouxe grande instabilidade, desordem, sofrimento.

O que você está sentindo agora?

Se esse é o maior medo que já sentiu, se este momento é o mais solitário que já conheceu, peço que, quando isso acabar – supondo que todos aqueles que você ama ainda estejam vivos –, lembre-se desses sentimentos de intenso sofrimento. É o que os enlutados enfrentam todos os dias.

Todos os dias, eles se levantam e enfrentam um mundo no qual têm plena consciência da própria mortalidade e vulnerabilidade. Todos os dias, colocam os pés no chão e encaram com bravura seu mundo pessoal drasticamente transformado.

Todos os dias, o mundo dos enlutados para de rodar quando eles se confrontam com a presença de uma ausência. Todos os dias, enfrentam a solidão quando outras pessoas se afastam de sua dor, esquecem-se de ligar ou enviar mensagens de texto, não dizem os nomes dos filhos, irmãos, pais, cônjuges dos enlutados. E nada é mais o mesmo, nunca mais.

A maioria se identificará com o sentimento de medo e pânico intensos, com o pavor da incerteza nos tempos atuais. Esse medo, esse sofrimento coletivo, vem da aguda consciência do risco – risco de nossa finitude, de nossa mortalidade e da mortalidade daqueles que mais amamos.

Quando estamos despertos, quando já conhecemos uma perda profunda, sabemos que esse risco existe a cada momento, todos os dias, não apenas durante uma pandemia. Bebês morrem. Crianças morrem. Adolescentes morrem. Adultos morrem. Animais morrem. Todas as coisas vivas morrem.

Agora, talvez mais do que nunca antes na história, o mundo fez uma pausa para reconhecer esse risco. Em geral, só prestamos atenção às mortes quando são pessoais. Mas hoje o mundo, o todo coletivo, está sofrendo. A única coisa que pode nos ajudar no futuro é lembrar o sofrimento que estamos enfrentando no presente. Quando o tsunâmi dessa pandemia terminar para a maioria de nós, nossos entes queridos ainda viverão conosco. A maioria de nós sobreviverá à pandemia. A maioria de nós ficará bem – ao menos fisicamente, embora as previsões para os problemas de saúde mental no futuro indiquem um cenário desafiador. Mas outros, não, porque morrerão ou perderão alguém que amam.

E para muitos, num futuro não tão distante, outras mortes – às vezes catastróficas – virão. Lembrarmos o sofrimento que estamos experimentando nos ajudará a ser mais compreensivos, mais compassivos e mais verdadeiros com aqueles que estão, por efeito da pandemia ou não, sofrendo a morte de alguém que amam.

Se você não consegue entender por que alguém sofre tanto por tanto tempo, considere-se afortunado. Para muito além da longevidade desse vírus, lembre-se disso, por favor. Lembre-se de seus sentimentos agora para que possa abrandar seu coração para a dor de alguém com quem deparará amanhã.

Deixe isso mudá-lo no caminho para a compaixão. Não voltaremos à vida de costume – porque, para muitos, ela nunca volta ao normal quando morre alguém que amamos profundamente.

Uma esperança por dia
Para lidar com o medo, querido coração partido, você precisará de uma esperança por dia. Você tem direito ao medo. Não precisa lutar contra ele, porque é seu o direito mais sagrado – o de sentir. Lutar contra o medo apenas aumenta o tamanho, a intensidade e a frequência dele em nossa vida. Você pode simplesmente aquecer seu medo com o cobertor da esperança. Proteja-se.

Quando acordar pela manhã, você poderá se perguntar: *hoje tenho esperança de quê?* Comece escolhendo algo que esteja ao alcance da mão. Quando escolhemos uma esperança muito distante de nós, podemos nos perder nos pequenos passos que somos capazes de dar para chegar a um grande objetivo. Você pode acordar com a esperança de, por exemplo, arrumar o quarto, colocar os e-mails em dia, ajudar um vizinho, participar de algumas reuniões, cuidar de você mesmo em segurança. Pode acordar, enfim, com a expectativa de dar um pequeno passo.

Mas você não precisa ter esperança. Sou terminantemente contra qualquer forma de ditadura da esperança, a qual equivaleria a uma espécie de dominação. A esperança é algo que temos à disposição para enfrentar tempos de incerteza; se não encontrar a esperança em determinado momento, apenas abrace-se incondicionalmente. Cuide-se incondicionalmente, fazendo o possível a cada dia, e então a esperança talvez renasça em seus olhos quando você menos esperar.

Corações partidos pelo luto

De modo inesperado, você perdeu um grande amor. Ele apresentara sintomas que pareciam de gripe, mas não era gripe, embora você desejasse que fosse. A febre aumentou, ele começou a dar sinais de que algo não estava bem, os mesmos sinais que o noticiário, dia e noite, dizia que indicavam gravidade. Seu coração ficou despedaçado quando o acompanhou até pronto-socorro e tudo que você recebeu foi um adeus de máscara, sem toque afetuoso, sem abraço amoroso. Você se tornou o inimigo das horas, porque elas instantaneamente passaram a ter mais minutos e ninguém o tinha consultado sobre isso. O tempo se arrastava, na velocidade da câmara lenta. E nada fazia sentido.

O telefonema veio num dia difícil, quando as crianças estavam se preparando para a aula *online*. Você vinha vivendo um pesadelo, ou sonho ruim, e agora recebia uma notícia na qual se recusava a acreditar. Pode ter sentido confusão, incredulidade, vontade de chorar, vontade de sumir, vontade de rebobinar a realidade, de voltar ao passado, de impedir o futuro.

Quero lhe dizer que nada vai ser como antes, mas que pode sentir e viver seu luto como fizer sentido para você. Pode calar quando todo mundo espera que fale. Pode falar quando todo mundo deseja que silencie. Apenas vá vivendo sua experiência da maneira que for possível, preservando o direito de processar todos os sentimentos do mundo – ou apenas o direito de seguir fazendo as coisas que têm sentido para você agora.

Assim como com o exercício muscular, a integração do luto resulta do exercício do músculo emocional. Aos poucos, com o decorrer do tempo, o peso não fica tão difícil de carregar. A dor não irá embora, e você não será curado de repente, mas isso talvez lhe dê as ferramentas necessárias para se adaptar e integrar, de modo que você seja mais capaz de suportar seu fardo, o luto tão traumático pela perda de alguém para a Covid-19.

Em tempos de Covid, pode ser deveras difícil (e mesmo desaconselhado) encontrar um lugar físico de validação para seu sofrimento, mas a internet se transformou em local onde os enlutados podem obter a ajuda e o apoio social de que precisam. Por outro lado, você talvez encontre lá muita coisa que não faz nenhum sentido sobre o luto e o processo de integrá-lo na vida. Verbos como:

(Luto é outra palavra para falar de amor)

» Superar.
» Lutar.
» Recuperar.
» Resolver.

Todos são palavras que usaríamos para descrever a ação contra um inimigo ou uma "coisa" indesejada. Entretanto, todos são palavras que, na internet, vi usarem repetidamente no contexto de luto pela morte de um filho, cônjuge, irmão, pai.

Algumas culturas promovem desesperadamente a ideia de se livrar da dor, de vencê-la, fazendo que evapore como se nunca tivesse existido. Uma vez que tenhamos feito isso, reza o mito, adquiriremos a tão almejada felicidade que nos pertence por direito. Nossa cultura é exatamente assim. Somos obcecados por felicidade, conforto e gratificação instantânea. Defendemos maneiras de "vencer" a dor (superar, recuperar, resolver, seguir em frente etc.) à custa de nos afligirmos e nos penitenciarmos pela existência de emoções autênticas e legítimas associadas com a perda, por vezes a pedido daqueles que buscam lucrar com tais "intervenções", "terapias" ou *coaching*. Será essa a melhor abordagem em nossa busca de nos tornarmos totalmente humanos?

O grande filósofo americano Rollo May (1909-1994) disse: "Ninguém se torna totalmente humano sem dor".

Há mais de uma década, venho trabalhando para ajudar os enlutados a acomodar a própria dor, respeitá-la e até fazer amizade com ela, como abrir espaço para a dor no coração, na mente e na alma. Tenho ensinado alunos e provedores de cuidados a lidar com a própria dor para realmente estar presentes na dor de outra pessoa. Não sou o único. Em diversos lugares do Brasil e do exterior, colegas excelentes vão fazendo o mesmo. Está funcionando. Vejo avançar – ainda que lentamente – uma mudança cultural nas atitudes para com o luto.

Tentar superar o luto, combatê-lo, resolvê-lo ou se recuperar dele parece façanha extraordinariamente exaustiva, sobretudo quando provocado pela morte por Covid-19, tão traumática e inesperada, sem previsibilidade, sem os rituais que todos conhecíamos, sem o apoio social presencial dos outros. Há algo de perene nas mortes num sistema familiar, e a Covid colocou isso em suspenso.

Se tivesse passado todo o meu tempo lutando contra a dor, imagino que hoje, tantos anos depois, eu seria um mero fragmento de quem sou. Não seria capaz de sentir a profundidade da alegria, do significado nem da compaixão que experimento agora. Sei disso. E a felicidade? Como disse o neuropsiquiatra austríaco Viktor Frankl (1905-1997), podemos perseguir não a felicidade, mas uma vida com significado. A felicidade deve acontecer naturalmente, como subproduto de uma vida com significado. É um resultado, não uma meta a atingir, nem uma qualidade a adquirir. E só se pode experimentá-la como resultado de uma existência – como amor e sofrimento bem vividos.

Quando nos permitimos viver o luto, podemos abrir espaço para a criação de novos significados.

O luto é um processo instável, para o qual não existe certeza nem consolo. É uma época de caos, mas também de pensamentos ruminados, de calma e solidão. É época do melhor e do pior da existência.

Hoje, amanhã ou nas próximas semanas e meses, os enlutados sentirão esse tumulto na carne.

Quando você estiver cansado, que outros lhe emprestem sua força.

Quando perder o equilíbrio, que outros lhe ofereçam apoio nos ombros.

Quando sentir solidão e medo, que se juntem a você pessoas que sabem o que significa sofrer e o que significa suportar.

Quando sentir falta da presença da pessoa amada, que cada célula de seu corpo o ajude a lembrar um momento extraordinário de união – e que essa lembrança fique com você sempre que precisar.

Quando sentir falta de quem você ama profundamente, que essa falta sem fim inspire seu coração a levar o amor daquela pessoa ao mundo, da maneira que fizer sentido para você.

(Luto é outra palavra para falar de amor)

E que pandemias de doença sejam substituídas por pandemias de compaixão.

Por favor, fique o mais seguro possível durante estes tempos e durante todos os tempos. A segurança será o lugar onde você poderá repousar durante a tempestade. Até o próximo nascer do sol.

9. Aprendendo com meus erros – Anotações para os terapeutas do luto

Em meu caminho trabalhando com enlutados, já deparei com muitos erros que cometi, alguns dos quais me levaram à experiência de descuido, *burnout* e impossibilidade de dar continuidade ao trabalho, embora todos acreditassem que eu estivesse bem. Na vivência de provedor de cuidados ao luto, a gota d'água foi quando uma pessoa que acompanhei me deu retorno extremamente duro – e honesto – sobre todas as vezes em que eu tinha desmarcado nossos encontros. Estava certa. Dentro de mim, havia uma dor de que eu não estava cuidando, iludido pelos anos de experiência, cansado pelo número de palestras, aulas, atividades como educador e professor em cursos no Brasil e fora do país. Estava distraído do trabalho emocional que deveria fazer, e um imenso ponto cego caracterizava várias de minhas relações naquele tempo.

No fundo, meu primeiro erro foi simplesmente não ter considerado que também sou feito da mesma humanidade, da mesma fragilidade, de todos os enlutados – e que meu coração partido precisava de cuidados. Eu era provedor no sentido mais absoluto da palavra, porque queria ser visto como alguém sempre disponível para todos, sendo vaidoso a ponto de achar que tinha aquela importância toda. A dor da vaidade é suportável quando o que nos distrai é a vida no carrossel.

Aqui, vou listar algumas das coisas que aprendi no trabalho com enlutados e que gostaria que todos os que querem seguir carreira nessa área possam observar. Vou começar dizendo que devemos trabalhar nossa própria dor e ficar muito atentos a certos papéis que assumimos na vida, aos quais recorremos para sobreviver, mas que podem já não ser muito úteis quando nos propomos cuidar de pessoas que estão enlutadas ou chegando ao fim da vida.

Ter trabalhado os pontos que seguem fez de mim um provedor de cuidados mais íntegro e mais presente nos sofrimentos dos outros. Espero que ajude você também.

Viva a sua essência: o triângulo da vítima

Embora a consciência de nossos sentimentos seja crucial para cuidarmos bem de pessoas enlutadas, precisamos passar da teoria à prática, da imaginação à vida, da cabeça ao coração. Essa progressão é frustrada pela continuidade dos velhos padrões de comportamento que adotamos na infância, os quais são fruto das relações de apego que desenvolvemos com nossos pais ou outros cuidadores primários. Ainda que esses padrões sejam respostas criativas para sobreviver em nosso sistema familiar quando crianças, se não foram examinados e permaneceram pela idade adulta, eles impedem ou distorcem seriamente nossa capacidade de viver uma vida plena, como já dissemos. Impedem ou distorcem também a capacidade de cuidarmos adequadamente daqueles que enfrentam grande sofrimento.

O conceito de triângulo da vítima, apresentado pelo psiquiatra canado-americano Eric Berne (1910-1970), da análise transacional, pode nos ensinar a expressar nossas emoções naturais, processá-las, integrar o luto à vida e vivenciar nossa essência.

O triângulo da vítima descreve os papéis que as pessoas podem adotar para evitar a própria dor à medida que se relacionam. É um modelo de saúde, o diagrama de um ser humano que tenta entender suas necessidades escolhendo um papel de enfrentamento – papel que ele, sem dúvida, viu demonstrado em sua família de origem. Desempenhar um desses papéis nos distrai de viver uma vida autêntica e nos apega a uma *imagem* de quem somos. Tal encenação é inteiramente inconsciente. Durante a infância, para lidar com o estresse,

(Luto é outra palavra para falar de amor)

para tentar sobreviver, aprendemos a renunciar a nossos sentimentos naturais, subverter ou ignorar nosso eu essencial e adotar um papel que, acreditamos, nos ajudará a sair ilesos da crise. Além disso, na contínua tentativa de evitar o sofrimento, atribuímos papéis correspondentes a outras pessoas.

Então, fazemos o jogo de viver papéis uns para os outros, voltando ao comportamento inconsciente, tudo em nome da sobrevivência. O problema é que continuamos a desenvolver o papel muito tempo depois que sua necessidade inicial caducou. Nós nos agarramos ao papel; ficamos presos no faz de conta – se funcionou uma vez, por que não funcionaria de novo? Só somos capazes de deixar esse ciclo quando percebemos que já experimentamos nosso sofrimento e – desenvolvendo formas de vida mais concordes com quem somos na essência – conseguimos nos descolar do único papel que usávamos para nos proteger.

Estamos no triângulo da vítima quando:

1. Não sabemos o que estamos sentindo.
2. Sabemos o que estamos sentindo, mas não podemos ou não queremos expressar isso.
3. Nós nos sentimos presos e não nos sentimos vistos em nosso próprio *self*.
4. As palavras que usamos não parecem ser nossas.
5. Nós nos distraímos criticando os outros, ou nos criticando, e evitamos entrar em contato com nossa dor.
6. Fazemos alguma coisa em excesso, como cuidar de uma pessoa obsessivamente ou nos dedicar a algo da mesma maneira. (Quando nos dedicamos excessivamente a uma única atividade em detrimento de todo o resto, é para evitar dar atenção a nosso sofrimento.)

Os papéis que adotamos são a vítima, o juiz/perpetrador e o salvador. Tanto no início da vida como hoje pela manhã, nosso ego – achando ser tão inteligente – reprisa um papel familiar para evitar a dor e o sofrimento. Parece funcionar por um tempo. Acreditamos ser mais fácil pegar o atalho conhecido, seguir o roteiro predeterminado. Até adotamos a postura física do papel e lemos automaticamente as falas do roteiro. Não, as palavras não parecem ser nossas, porque não são mesmo. Mas são úteis, familiares, e dão a impressão de cuidar da necessidade imediata de dizer ou fazer algo que evite constrangimento, desconforto ou dor. O papel proporciona sem dificuldade um senso de identidade e um curso de ação, alguma coisa fácil para dizer ou fazer. Quando abandonamos nossa integridade para seguir esse roteiro conhecido, surge a codependência. Aí, bem-vindo ao triângulo da vítima.

O triângulo só existe porque cada indivíduo no jogo relacional age daquela mesma maneira, movida por um papel. No momento em que uma das pessoas da relação passa a agir de maneira diferente, o sistema começa a falir. Cada um que exerce um papel precisa que os outros façam também parte do jogo. É um sistema de produção de dependência, em que os atores assumem papéis distantes de seus sentimentos mais autênticos.

O papel da vítima
Todos entramos no triângulo como vítimas: desamparados, nunca bons o bastante, culpados. Se as crianças voltam a ser magoadas ou machucadas ou são isoladas quando ousam protestar contra os comportamentos prejudiciais de seus cuidadores, restam apenas duas opções a elas: ou permanecer desamparadas e extremamente vulneráveis, ou se culpar por tudo o que está errado em seu mundo. Visto que nós, humanos, não suportamos ser impotentes nem nos sentir fora de controle, assumimos inconscientemente a responsabilidade pelo caos e pelo vazio da vida. Como crianças pequenas, construímos um mundo em que somos maus (ou seja, não amáveis, no sentido de não sermos merecedores de amor) e, ao mesmo tempo, todo-poderosos, por causa da infelicidade que criamos. Já não é seguro balançar o punho em protesto, mas nos resignamos a uma vida

solitária. Como vítimas, não merecemos amor nem apoio. Sentindo-nos indignos, não pedimos ajuda. Continuamos presos ao desespero. Não importando o que façamos, as cartas estão contra nós. Isolando-nos dos outros ou reclamando por reclamar, afastamos as pessoas, e elas então confirmam nossa visão de mundo de que não somos dignos de amor. Até mesmo num pequeno grupo de amigos, nunca sentimos que somos parte ou que nos encaixamos. Estamos presos, mas não conseguimos ver como nossa decisão de infância nos paralisou. Há vantagens nessa posição, contudo. Mesmo como vítimas, podemos carregar silenciosamente a bandeira e a arrogância da singularidade. Ninguém sofreu como nós; ninguém consegue entender o que passamos. Nossa dor nos torna no mínimo especiais. Cada posição no triângulo é infundida com sua marca particular de grandiosidade e retidão.

Assim, começamos a viver no triângulo como vítimas com vergonha e baixa autoestima. Em mais tentativas de sobrevivência, planejamos e manipulamos: como satisfazer minha necessidade de atenção e amor? Como evitar que papai grite comigo? Se representar a vítima não funcionar, encontraremos outro papel que funcione. A vítima tenta ter suas necessidades de sobrevivência satisfeitas atraindo proteção e cuidado e, em seguida, culpando os outros quando a proteção e o cuidado desejados não estão disponíveis. Irônica e paradoxalmente, quem faz o papel de vítima costuma exercer muito poder. Mas é "poder sobre os outros", não um empoderamento saudável. Sabemos que nos relacionamos com uma vítima quando nos sentimos desamparados, culpados e impotentes.

Para a vítima, a grandiosidade está naquilo que suporta; a justiça está em seu martírio. As vítimas parecem desamparadas, sem opções ou meios para mudar. Carregamos a marca de Caim; somos maus, indignos, sem esperança e sem redenção. Ainda assim, temos mais poder do que percebemos ou queremos admitir, porque geramos culpa nos salvadores e desprezo nos perpetradores. Aqui, uso o pronome *nós* porque temos a voz de cada uma dessas funções dentro de nós.

Ocupamos o lugar da vítima, mesmo que brevemente, com nosso pessimismo e cinismo. Descobri que, quando estou tendo uma reação particularmente forte a um dos papéis do triângulo, preciso apenas olhar para dentro para ver o que desprezo em mim, qual parte de mim eliminei para evitar sentir minha vulnerabilidade. Quando condeno alguém que está "marinando na autopiedade" (como Elisabeth Kübler-Ross costumava dizer) e, ao mesmo tempo, me parabenizo por ser forte o bastante para conseguir sair do poço do desespero, só preciso me perguntar quanto mais abuso, negligência ou humilhação eu precisaria sofrer para me fazer desistir. Aí, volto para um lugar de compaixão e gratidão.

Como vítimas, nutrimos um ressentimento sufocante. Se tivéssemos recebido o amor e a atenção de que precisávamos, não estaríamos neste lugar de desespero. Atraímos salvadores para nos socorrer, mas, com uma amargura passivo-agressiva, os punimos rejeitando seus conselhos. Mudamos de não merecedores de ajuda e compaixão para silenciosamente imperiosos, quase exigentes. Como vítimas, não queremos ter nosso poder porque ele implica que somos capazes de mudar. Em vez disso, precisamos de outros para confirmar nossa visão de mundo; os salvadores dão a entender que as vítimas são incapazes de sobreviver sem eles; já os perpetradores condenam nossa impotência.

Os salvadores e os perpetradores refletem o desrespeito que a vítima tem por si própria. De forma perversa, a autoestima da vítima vem do sofrimento. Como vítimas, nossas lamentações e reclamações ocupam grande parte de nosso tempo e energia. Continuamos presos no passado, incapazes de entrar em contato com o sofrimento e seguir em frente, porque não acreditamos que haja alguma esperança. Trajamos nossos sentimentos como símbolo de sofrimento, em vez de usá-los como oportunidade de crescimento. É um papel muito solitário e doloroso, que reflete o abuso e a negligência de outros tempos.

É importante lembrar que o triângulo é uma de nossas ferramentas de sobrevivência mais úteis, porque nos permite permanecer em relacionamentos, mesmo abusivos, sem os quais literalmente não conseguiríamos sobreviver aos primeiros anos de existência. Quando estamos no papel de vítima, afastamos a agonia, a impotência e o vazio de uma infância insegura ou invisível. Atrair equipes de salvadores para nos salvar e perpetradores para nos julgar nos impede, pelo menos na superfície, de ficar completamente sozinhos; e a dança de poder entre esses papéis nos distrai de lidar com nossa dor. Em todas as três posições do triângulo, ficamos presos ao pensamento e ao comportamento habituais. É preciso muita coragem, vontade e frequentemente ajuda para quebrar tais padrões arraigados. Para muitos de nós, o papel de vítima, embora poderoso a seu modo, é intolerável. Sentindo-nos indignos e vulneráveis demais, desesperançados e impotentes, passamos para outra ponta do triângulo.

O papel do salvador
Assim como a maioria das pessoas que se dedicam ao trabalho com enlutados, eu tinha, e tenho, forte desejo de ser útil . No entanto, meu impulso inconsciente de me concentrar nas necessidades dos outros, excluindo as minhas, não era saudável. Há momentos em que os desejos do salvador estão tão submersos que ele não sabe o que necessita ou quer. Eu alertava todos sobre isso, mas não conseguia ver o que se passava em minha vida. Quando questionado sobre uma simples escolha de restaurante ou filme, a resposta clássica do salvador é:

— Estou aberto. Você decide.

O salvador ou zelador deve encontrar outras pessoas que precisam de conserto. Se não houver nenhuma por perto, ele consertará o que não está quebrado. De modo semelhante à charge dos escoteiros que escoltam uma mulher robusta e saudável até o outro lado da rua, o salvador pode ser invasivo.

Ele dá conselhos não solicitados, sermões, faz discursos motivacionais. Faz perguntas apenas o tempo suficiente para ser capaz de pontificar e fazer proselitismo. O salvador, portanto, usa secretamente a fragilidade dos outros para fazer-se sentir importante e evitar o próprio sofrimento. Concentra sua energia implacavelmente nos outros, para que não tenha tempo de experimentar o vazio de sua vida. Resgatadores desse tipo são super-responsáveis. As empresas farão bem em contratá-los. Assumirão total responsabilidade, mesmo por coisas completamente fora de seu controle. Por medo e vergonha, estão prontos a sacrificar qualquer vida pessoal. Todos os outros são mais importantes. Os salvadores farão hora extra sem pagamento. Não conseguem dizer *não*. São perfeccionistas e indispensáveis. A marca da grandiosidade dos salvadores está em sua indispensabilidade: *sem mim, tudo desmoronaria*. Sua justiça está na abnegação.

Quando o esforço dos salvadores não compensa a recompensa inconsciente, eles se perguntam: *o que há de errado com esta imagem? Por que ninguém faz isto por mim?* Assim, é comum que os salvadores comecem a falhar, a contar inverdades, a evitar as muitas funções que só aceitaram para evitar confrontar o que realmente são.

O papel do salvador tenta atender às necessidades dele encontrando – até mesmo criando – pessoas para cuidar e salvar. É um papel sedutor para evitar sentir dor. Quando encontramos uma vítima para cuidar, assim evitando experimentar o que está errado e desconfortável na nossa vida, podemos até mesmo desfrutar do benefício social para nos sentirmos justos e dignos. Muitas vezes, amigos e familiares – e a sociedade ao redor – responderão com elogios e admiração se ajudarmos as pessoas. Cuidadores especializados criam vítimas necessitadas de quem cuidar. No triângulo da vítima, o papel do salvador é de ladrão, que tira a responsabilidade da vítima para atender às próprias necessidades. Por outro lado, o salvador não está irremediavelmente preso no triângulo. Um cuidador que reconhece seus limites e cuida da própria dor oferece ajuda sem exigir nada em troca; seu tempo, energia e capacidade são um presente de verdade, gratuito e amorosamente oferecido sem nenhuma compensação necessária. Já o salvador é, vimos, um ladrão, que tira algo de valor das pessoas. Sabemos que estamos nos relacionando com um salvador quando nos sentimos sufocados pela atenção e nos dizem o tempo todo o que fazer.

O papel do juiz/perpetrador

O juiz/perpetrador tenta satisfazer suas necessidades criticando e julgando os outros. Encontramos falhas nas ações destes. Desempenhar tal papel é evitar responsabilidades. Nele, buscamos evitar críticas criticando os outros. Em vez de aceitarmos as consequências de nossas ações, informamos as pessoas, julgando-as, sobre o que estão fazendo de errado. Pode-se ver isso no fenômeno da "hierarquia", quando quem foi julgado encontra uma pessoa para julgar e se torna um perpetrador. Parece mais fácil dizermos aos outros o que há de errado com eles do que aceitar e mudar o que há de errado conosco. No papel de perpetrador/juiz, criamos sofrimento em outros a fim de evitar o nosso sofrimento. Damos às pessoas opiniões e informações em vez de ouvirmos suas emoções naturais. Reunimos motivos e recursos para provar que nossos juízos estão corretos. Os perpetradores e juízes farão o possível para provar que estão certos e que devem ser obedecidos. Sabemos que estamos nos relacionando com um perpetrador/juiz quando nos sentimos atacados ou injustamente criticados.

É comum que salvadores se tornem perpetradores, em especial depois que notam que seus esforços desesperados para se ocupar de coisas nobres os deixam cansados, exaustos, estafados, e que seu mal-estar não foi resolvido por sua extrema dedicação.

Deixando para trás o triângulo da vítima

Sair do triângulo da vítima significa aprender a reconhecer e expressar emoções naturais e, portanto, a viver com autenticidade. Primeiro devemos aceitar que vamos vivenciar sofrimento. Depois disso nos permitimos tomar consciência das emoções produzidas naturalmente por nossas experiências de sofrimento e expressar esses sentimentos. A saída do triângulo da vítima é a consciência, o que já destacamos. Quando conseguimos testemunhar nossas respostas e reações, observar como falamos e interagimos, podemos escolher ir além dos papéis de vítima, salvador e juiz/perpetrador. O caminho para sair do Triângulo da Vítima é mudar as interações entre papéis, para tanto mudando a linguagem e o comportamento, as comunicações e ações. As interações são as partes mais fracas do triângulo e, portanto, as mais fáceis de mudar. Não teremos sucesso se tentarmos sair do triângulo pelas pontas, os lugares mais fortes e mais cortantes, onde nossa família e nossos amigos estão provavelmente entrincheirados enquanto desempenham seus papéis. Também provavelmente, eles não reagirão bem a nossas tentativas de confrontá-los e mudá-los. Na verdade, é provável que fiquem bastante na defensiva; gostam de seus papéis e não estão dispostos a desistir deles sem lutar. Não temos controle sobre o que outra pessoa diz ou faz, mas somos capazes de controlar a forma como respondemos e o que dizemos. Podemos mudar a maneira como nos relacionamos com outras pessoas, para isso escolhendo palavras e ações diferentes, expressando nossas emoções verdadeiras, naturais, e falando como nosso eu essencial, autêntico, e para ele. Nossa cura por desempenhar papéis não depende de ninguém além de nós mesmos.

Estas tarefas nos ajudam a sair do triângulo:

1. Encontre os sentimentos e as necessidades da criança natural e expresse-os.
2. Diga *não*. (Se você for educado, será *Não, obrigado*.) O maior aprendizado depois de minha crise pessoal foi simplesmente dizer: *não posso me responsabilizar pelo cuidado de mais ninguém. Preciso cuidar de mim.*
3. Diga ou faça isso sem pedir desculpas nem precisar de motivo. Recuse a recompensa, a manipulação, o "acordo". Negue-se a desempenhar o papel do "falso eu".

Expressar sentimentos requer segurança, ou seja, um momento seguro, um lugar seguro e uma pessoa segura (sem juízos) para que

(*Luto é outra palavra para falar de amor*)

possamos confiar nas informações geradas por nossos sentidos (visão, tato, audição, olfato e paladar, mais aquele importante sexto sentido, a intuição) e usá-las. Lembre-se de que o caminho para fora do triângulo da vítima não é uma super-rodovia de quatro pistas, mão única, sinalização perfeita e paradas muito convenientes para combustível e descanso, tudo levando direto para a terra prometida da autenticidade e da liberdade.

Não, o caminho é a princípio uma mera trilha de terra na floresta, coberta de trepadeiras cortantes e espinhosas e cheia de curvas traiçoeiras. Justamente porque ele é difícil de encontrar, porém, sabemos que é não o caminho de outra pessoa, mas o nosso. "A jornada" ("The journey"), o evocativo poema da americana Mary Oliver (1935-2019), descreve esse percurso de grande esperança, pois o viajante se move sobre os escombros de sua existência para avançar cada vez mais fundo no mundo, superando o medo para levar a própria vida – a única que ele tem.

E havia uma nova voz
que você lentamente reconheceu como sua,
e te fez companhia à medida que você caminhava mais fundo no mundo,
determinada a fazer a única coisa que podia:
determinada a salvar a única vida que você tem.

Estamos criando nosso caminho de novo, um caminho exclusivamente nosso.

Quando exercitamos a coragem e começamos a caminhar – ou engatinhar – para fora do triângulo da vítima, o avanço, à medida que avançamos através dos obstáculos, objeções e protestos de outras pessoas, é lento. Mas cada passo é reforçado por uma sensação de certeza, de sermos quem realmente somos. À medida que seguimos em frente, encontramos confirmação e força e, agora longe de desempenhar papéis, encontramos também companheiros de viagem – amigos, colegas, coparticipantes de grupos ou, o que é especialmente precioso, pessoas da própria família. Assim, ganhamos companhia reconfortante em nossa caminhada para a liberdade. No final, conforme experimentamos nova liberdade fora do triângulo, olhamos para trás, para o antigo sistema, e damos ou um suspiro de alívio, ou um grito de êxtase.

Ao sairmos do triângulo pela primeira vez, olhamos de repente ao redor e percebemos que estamos sozinhos. Pode parecer que estamos perdidos num planeta totalmente novo, e nem mesmo temos certeza de que o ar é respirável. Não carregamos bússola nem mapa que indique o caminho. Podemos nos sentir estranhos nesse novo território. Mas aí, quando juntamos coragem para respirar, sentir debaixo dos pés o chão firme, manter os olhos abertos, respirar mais uma vez e resolver habitar nosso novo espaço, acontece um milagre: tornamos a olhar em volta e vemos por perto outra pessoa. Ele ou ela está falando e agindo com base em sua própria verdade. Quer que sejamos autênticos também. E então aparece outra pessoa, e mais outra. Já não estamos sozinhos. Temos gente ao redor, gente que está trilhando a própria jornada para sair de triângulos pessoais. Na verdade, conforme nos tornamos cada vez mais nosso verdadeiro eu e cada vez mais capazes de compartilhar nossa essência, vamos atraindo pessoas que apreciam a honestidade e a autenticidade. Ao nos verem, elas enxergam alguém saudável; animam-se e ganham permissão para ser verdadeiras consigo mesmas, também deixando para trás o triângulo da vítima.

Ao tocar uma alma humana, seja apenas outra alma humana

Em diversos lugares do mundo, há uma série de técnicas e cursos para aqueles que querem aprender a se tornar hábeis na arte do aconselhamento ou da terapia com enlutados. Sabemos que o treinamento e a atualização contínuos são absolutamente essenciais, assim como o trabalho de supervisão. Mas só posso terminar este capítulo informando aos interessados que eles não poderão executar bem o trabalho se permanecerem presos no triângulo da vítima. Cedo ou tarde, terão de se confrontar com esses papéis como eu o fiz, para trabalhar devidamente e não fazer mal às pessoas que deveriam ajudar. Cuidar da própria dor é condição *sine qua non* para o sucesso nesse campo. Não são apenas os enlutados que devem autorizar-se a sentir. É tarefa requerida também de nós, se queremos fazer o trabalho com ética e com profundo compromisso em aliviar o sofrimento humano.

Quando cuidamos de nossos sentimentos e emoções de maneira responsável, oferecemos a segurança de que as pessoas precisam para enfrentar tempos nebulosos e difíceis. É o melhor presente que podemos oferecer não apenas aos outros, mas também a nós mesmos.

10. A recusa ao fechamento

Aprendi a confiar que poderia viver de novo – mas seria viver de maneira diferente.

Aprendi a confiar que seria capaz de sentir alegria de novo – mas de maneira diferente.

Aprendi a confiar que seria capaz de abrir espaço para o luto em minha vida – e isso enquanto vivesse.

E tomei a decisão de manter meu coração aberto a toda a beleza e horror que faz parte dessa experiência na Terra e – quando me sentisse pronto – trabalhar em prol da compaixão pelos outros.

Afirmo que "fechamento" ou "encerramento" – o conceito de que tratamos no final do Capítulo 2 – não tem lugar em meu coração enlutado.

Nunca teve.

Nunca terá.

Desejo o mesmo a você.

Posfácio

Luto é outra palavra para falar de amor porque, embora não tenhamos fisicamente a pessoa aqui conosco, também precisamos aprender a fazer esse caminho dual, como o movimento de contração e expansão do útero de uma mulher que – através da dor – se prepara para dar à luz.

Tenho pensado muito em algumas histórias que acompanhei, várias delas descritas neste livro:

A mãe convocada pela família a "seguir em frente" após a morte do único filho...

A irmã advertida pelo professor por ter dito que "ainda tem irmã", quando esta morreu há quatro anos...

O viúvo aconselhado a deixar a tristeza de lado porque, afinal, ficou apenas três anos casado...

O filho adulto que, afetado profundamente pela morte do pai, tem dificuldade para se concentrar no trabalho e perde o emprego...

O pai que perdeu a filha e precisa corrigir os familiares quando dizem que ele não tem filhos...

Apesar de às vezes serem bem-intencionadas, atitudes desse tipo parecem a muitos uma forma de violência psicológica.

Por ser o trabalho de luto um terreno sagrado, ele merece nossa pausa, nosso reconhecimento, nossas mãos juntas pressionadas contra o coração. Quem não sabe disso, quem se recusa a aprender, vai magoar os outros. Vai marginalizar os enlutados, evitá-los, afastar-se deles. As sociedades que tampouco sabem disso vão causar sofrimento a seu povo por meio de instituições que carecem de compaixão e conexão. E vamos responsabilizar os enlutados por terem dificuldade de lidar com a situação. É um padrão clássico: culpamos a vítima e nos tornamos salvadores ou perpetradores.

É hora de abandonar esses papéis e seguir adiante em nosso aprendizado, fazendo diferença para os que estão mais próximos de nós.

Existe pouca coisa que podemos fazer quanto aos sistemas sociais que carecem de compreensão, sabedoria e compaixão ao encarar o luto, em especial o catastrófico. Com as pessoas que conhecemos, porém, somos capazes de responder com mais ternura. Por quê? Porque um dia elas também sofrerão perdas.

Nesse dia inevitável, quando os que "buscam apenas a felicidade" e os que defendem o "otimismo cego" perderem alguém amado, eles sentirão grande arrependimento pelas transgressões psicológicas e danos emocionais que causaram a outros que sofreram ou vão ainda sofrer. Se não se abrirem para a dor, a vida deles encolherá, e tais pessoas enfrentarão uma existência com profunda diluição de qualquer significado.

O mais importante: nunca conhecerão a obra sagrada do luto, a qual todos os que perdemos entes queridos já vivenciamos.

É um conhecimento de que abriríamos mão de muito bom grado, se fosse possível desfazer o horror da ausência dessas pessoas. No entanto, aquele trabalho sagrado de luto é o que fazemos para lembrá-las, honrá-las e redimir os dias no que nos resta dos escombros.

Em busca, com sorte, de novas claridades.

É possível ser feliz depois de uma perda? Claro que sim. Porque há vida. E a vida que levarmos adiante será nossa melhor homenagem a um amor que jamais deixaremos perecer. Nosso maior aprendizado deve ser o de nos abrir para todos os sentimentos, sem evitar nenhum deles.

Desejo que você construa significados, equanimidade, inteireza e generosidade em sua nova vida, ainda que seu coração não se cure por completo. Aliás, considere que a beleza de sua vida pode renascer, e que corações partidos são capazes de amar com ainda mais vigor e intensidade.

leia também

Luto por perdas não legitimadas na atualidade
Gabriela Casellato (org.)

A morte em si já constitui um grande tabu no mundo ocidental. O mesmo se pode dizer do luto, sobretudo quando ele não é visto como tal – são as chamadas perdas simbólicas e/ou ambíguas. Partindo dessa realidade, Gabriela Casellato oferece nesta obra textos de profissionais da psicologia e de pessoas enlutadas. Dividida em quatro partes – "Os lutos do ser", "Os lutos do estar", "Os lutos do cuidar" e "Engajamento social: do silêncio à ação", a obra conta ainda com um texto especial sobre a pandemia de Covid-19 que varreu o mundo e continua assolando o Brasil.

ISBN: 978-65-5549-007-7

O luto no século 21 – Uma compreensão abrangente do fenômeno
Maria Helena Pereira Franco

Maria Helena Pereira Franco reúne neste livro décadas de experiência no atendimento a pessoas enlutadas e na formação de profissionais que atuam nesse campo. Mais que isso, oferece um amplo panorama a respeito das teorias e pesquisas sobre luto, sempre se valendo do rigor científico e de uma visão peculiar desse processo, que integra aspectos psíquicos, sociais, cognitivos, espirituais e físicos. A autora aborda, entre outros temas, os diversos tipos de luto, seus fatores predisponentes, recursos para o diagnóstico e modos de intervenção terapêutica.

ISBN: 978-65-5549-024-4

www.gruposummus.com.br